# NOSSA LÍNGUA CURIOSA

PASQUALE CIPRO NETO

# NOSSA LÍNGUA CURIOSA

## Uma dica do professor Pasquale para cada dia do ano

Ilustrações de Patricia Carmo

produzido por

EP&A

PUBLIFOLHA

Texto: Pasquale Cipro Neto
Concepção e desenvolvimento do projeto editorial: Verena Alves Peixoto
Assistente editorial: Carolina Montenegro
Capa e projeto gráfico: Daniel Kondo
Ilustrações: Patricia Carmo
Arte Final: Crayon P&PG

Dados Internacionais de Catalogação na Publicação (CIP)
(Câmara Brasileira do Livro, SP, Brasil)

---

Cipro Neto, Pasquale
Nossa língua curiosa : uma dica do professor Pasquale para cada dia do ano / ilustrado por Patricia Carmo. São Paulo : Publifolha, 2003.

ISBN 85-7402-470-8

1. Curiosidades literárias 2. Datas especiais 3. Português – Gramática 4. Português - Uso I. Carmo, Patricia. II. Título.

03-5638 CDD-469.5

---

Índices para catálogo sistemático:
1. Curiosidade : Datas comemorativas : Gramática : Português : Linguística 469.5


Publifolha - Divisão de Publicações do Grupo Folha
Al. Barão de Limeira, 401, 6º andar, Campos Elíseos,
CEP 01202-001, São Paulo, SP
Tel.: (11) 3224-2196/2202/2205
Fax: (11) 3224-2163
E-mail: publifolha@publifolha.com.br
Site: www.publifolha.com.br

Sob licença de:
EP&A - Consultoria em Comunicações
Av. Nove de Julho, 5966, 10º andar, conj. 102
Jardim América, CEP 01406-200, São Paulo, SP
Tel.: (11) 3083-7433
Fax: (11) 3082-3185
E-mail: epa@epaonline.com.br
Internet: www.nossalinguaportuguesa.com.br
Licenciamento e agenciamento do professor Pasquale Cipro Neto: EP&A

# APRESENTAÇÃO

A idéia de utilizar o calendário como ponto de partida para o estudo da língua portuguesa sempre nos atraiu. Durante muito tempo, essa idéia permaneceu num arquivo que existe justamente com essa finalidade: guardar conceitos ou projetos pelos quais nutrimos simpatia e que queremos ver concretizados.

Foi com grande felicidade que esse projeto saiu do arquivo e se transformou em um registro peculiar do nosso cotidiano. O elo que faltava finalmente surgiu: as comemorações presentes em cada dia do calendário. Em todos os 365 dias do ano há pelo menos uma celebração: uma data histórica, o dia de determinado profissional, a defesa de uma causa etc. Essas celebrações eram o "pretexto" que nos faltava para unir calendário, cotidiano e estudo do idioma! Procuramos ser criteriosos na seleção das comemorações, mas não nos responsabilizamos pela real existência de todas, já que algumas carecem de confirmação oficial. O que deve ser realmente levado em conta é a orientação lingüística que se relaciona a cada data.

Esperamos que a leitura seja tão prazerosa quanto a produção deste trabalho.

Os editores

# JANEIRO

**01**
**DIA MUNDIAL DA PAZ**

## "Ponto pacífico" ou "ponto passivo"?

O ponto é pacífico. E é pacífico porque sobre ele não há discussão, não há controvérsia, não há "guerra". O adjetivo "pacífico" é relativo ao substantivo "paz" e pertence à mesma família de "pacificar", "pacificador", "pacificamente" etc.

**02**
**DIA DE NOSSA SENHORA DOS NAVEGANTES**

## "Todo país" ou "todo o país"?

Certa vez, num dos nossos jornais, foi publicada a seguinte frase: "O dia da Nossa Senhora dos Navegantes foi comemorado em todo país". O que se entende dessa informação? Que a data foi comemorada em todos os países, ou seja, no planeta inteiro. Quando não é seguido de artigo, o pronome "todo" equivale a "qualquer". Se o que se quer dizer é que o dia foi comemorado em todos os cantos do país, no país inteiro, deve-se dizer que foi comemorado em todo o país. Seguido de artigo, o pronome "todo" significa "inteiro".

## "Torácica" ou "toráxica"?

É preciso tomar cuidado com certos pares de palavras, como o formado pelo substantivo "tórax", que se escreve com "x", e pelo adjetivo "torácico", que se escreve com "c". Fenômeno semelhante ocorre com certas palavras terminadas em "z", como "feliz", "voraz", "feroz" ou "veloz", cujas derivadas se escrevem com "c": "felicidade", "felicíssimo", "voracidade", "voracíssimo", "ferocidade", "ferocíssimo", "velocidade", "velocíssimo".

**03**
**DIA DA ABREUGRAFIA**

## Que significa "hemofílico"?

Ao pé da letra, "hemofílico" é aquele "que quer o sangue", "que é seu amigo". A palavra "hemofílico" é formada por dois elementos gregos ("hemo", que significa "sangue", e "filia", que significa "queredor", "amigo"). O mesmo "hemo" é encontrado em palavras como "hemorragia", "hemoptise", "hemodiálise" etc. É óbvio que não se pode dizer que o hemofílico goste de sangue ou que o queira. Na prática, o hemofílico tem problemas de coagulação do sangue, por isso, quando se fere, tem de "conviver" com o vital líquido vermelho.

**04**
**DIA DO HEMOFÍLICO**

**5**

**DIA EM QUE OS TRIPULANTES DO NAVIO BRASILEIRO BARÃO DE TEFÉ DESEMBARCAM NA ANTÁRTIDA (1983)**

## “Antártida” ou “antártica”?

Não há dúvida quanto ao adjetivo que se refere ao continente: é “antártico”. A dúvida ocorre quando se faz referência ao substantivo: a forma mais usual é “Antártida”, mas não faltam registros de “Antártica”. O “Vocabulário Onomástico da Língua Portuguesa”, da Academia Brasileira de Letras, registra as duas formas (“Antártida” e “Antártica”). Como essa publicação tem caráter oficial, deduz-se que se pode usar qualquer das formas do substantivo: “Passou dois meses na Antártida” (ou na “Antártica”). O adjetivo – não custa repetir – é “antártico”: “A expedição ficou dois meses em solo antártico”.

**6**

**DIA DA GRATIDÃO**

## De onde vem a palavra “obrigado”?

A palavra “obrigado” – forma mais usual de agradecimento em português – pertence à mesma família de “obrigar”, “obrigação” etc. Teoricamente, quem agradece dizendo “obrigado” declara-se obrigado a retribuir o favor que acabou de receber. É por isso que um homem deve dizer “obrigado” e uma mulher deve dizer “obrigada”. A forma “obrigado” (dita por um homem) é a hipotética redução de algo como “Estou obrigado a retribuir o favor que recebi”. Convém registrar que, se um homem agradece em nome de um grupo (usando a primeira do plural – “nós”), deve dizer “obrigados”. Foi o que fez Caetano Veloso quando, num programa de televisão, ao responder em seu nome e no de Jorge Mautner, disse “Obrigados nós”. Se quem agradece é uma mulher (em nome de um grupo exclusivamente feminino), a forma recomendada é “obrigadas”: “Muito obrigadas pelo auxílio que nos prestaram”.

## De onde vem a palavra "filosofia"?

Por sua importância na história do pensamento humano, o filósofo grego Sócrates se tornou quase sinônimo de "filosofia". Por falar em filosofia, de onde vem essa palavra? Que significa? Temos aí dois elementos gregos: "filo" e "sofia". O primeiro significa "amigo", "queredor", "amante", "aquele que gosta". Esse elemento está presente em muitas palavras, como "filatelia", "filantropia", "filologia", "filarmônica" etc. O segundo elemento de "filosofia" ("sofia") significa "saber", "ciência". O filósofo é aquele que ama o saber, o pensar; a filosofia, portanto, é o amor pelo saber, pelo pensar. É claro que o sentido da palavra "filosofia" não se limita mais ao étimo, à origem. Expandiu-se para, por exemplo, "conjunto de idéias", "conjunto de princípios para orientação na vida prática" etc.

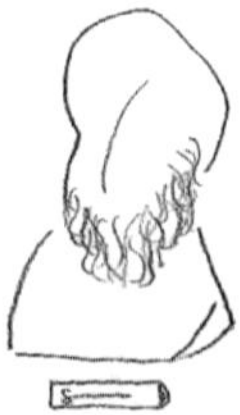

**7**

**DIA DE SÓCRATES**

## "Câmera fotográfica" ou "câmara fotográfica"?

O que importa é o talento do fotógrafo, que pode valer-se de uma "câmera" ou de uma "câmara". As duas palavras têm registro e podem ser usadas para nomear qualquer aparelho destinado a gravar imagens: câmera (ou câmara) fotográfica, câmera (ou câmara) filmadora etc. Convém lembrar que a palavra "fotografia" vem do grego e é formada pelos elementos "foto" ("luz") e "grafia" ("descrição"). O "foto" de "fotografia" é o mesmo de "fotossíntese", "fotofobia", "fotocópia", "fotoelétrico" etc.

**8**

**DIA NACIONAL DO FOTÓGRAFO E DA FOTOGRAFIA**

**9**
**DIA DO ASTRONAUTA**

## A Lua é um astro?

Sabemos todos que a palavra "astronauta" resulta de "astro" + "nauta" (= "navegador"). O astronauta navega pelos astros. O que significa "astro"? Serão astros apenas os corpos celestes que têm luz própria? Não é bem assim. Os dicionários dizem que a palavra "astro" (de origem grega) se refere a qualquer corpo celeste, com ou sem luz própria. Moral da história: a Lua, que não tem luz própria, é um astro, sim.

**10**
**DIA DE SÃO CAMILO**

## O músculo sartório

São Camilo é o santo protetor da área médica. Por falar em médicos, os discípulos de Hipócrates (e protegidos por São Camilo) sabem muito bem quanto lhes custa dominar a terminologia específica, que, fascinante, esconde verdadeiros tesouros lingüísticos, antropológicos e históricos. Um desses tesouros é este: o verbo "cerzir" vem do latim *sarcire* ("deitar remendos em vestido", "coser vestidos", "remendar"). De *sarcire* vem *sartor*, *sartoris* ("o que concerta", "o que remenda"). Em italiano (língua neolatina, como a nossa), *sarto* corresponde a "alfaiate", que, por sinal, é palavra árabe. Moral da história: o *sarto* (alfaiate, costureiro) apóia na coxa o tecido que cose ou remenda. Pois é justamente na coxa que fica o músculo "sartório" (ou "costureiro").

## O "x" de "tóxico"

Muitos leitores perguntam como se lê a palavra "tóxico". Esse "x" é como o de "lixo" ou como o de "fluxo"? Não se lê o "x" de "tóxico" como o de "lixo". Lê-se como o de "fluxo". O "x", no caso, produz dois fonemas (equivale a "cs"). É bom lembrar que na família toda se verifica a mesma pronúncia: "intoxicado", "intoxicação", "intoxicar", "intoxicou-se", "intoxicaram-se".

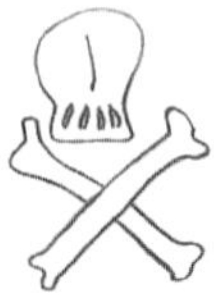

**11**
**DIA DO CONTROLE DA POLUIÇÃO POR AGROTÓXICOS**

## O IPMF, a CPMF

Quando alguém inventou essa absurda tranqueira (a cobrança de uma taxa para movimentar uma conta bancária), surgiu o IPMF, sigla masculina, porque o "I" inicial é de "imposto", palavra masculina. Algum tempo depois, o imposto ressuscitou, no feminino (a CPMF), já que o "c" é de "contribuição", palavra feminina.

**12**
**DIA DO CONTADOR**

**13**
**DIA DO TRATADO DE MADRI**

## "A par do Tratado de Madri" ou "ao par do Tratado de Madri"?

Você sabe o que foi o Tratado de Madri? Não? Então vamos lá: O Tratado de Madri, assinado entre Portugal e Espanha no dia de 13 de janeiro de 1750, definiu pela primeira vez as fronteiras entre os territórios americanos dos dois reinos ibéricos, tendo como base a ocupação efetiva das terras. Com ele foram delineadas, de forma geral, as atuais fronteiras do Brasil. Bem, agora que você já sabe o que foi esse tratado, permita-me perguntar-lhe: você já está "a par" ou "ao par" do tratado de Madri? Apesar de alguns registros de "a par de" e "ao par de" como equivalentes a "ao corrente de", a expressão mais recomendada e abonada é "a par de". O dicionário "Aurélio" diz que "ao par de" é "forma menos preferível"; o "Dicionário Prático de Regência Nominal", de Celso Luft, dá as duas expressões como equivalentes. O "Dicionário da Língua Portuguesa Contemporânea", da Academia das Ciências de Lisboa, e o de Caldas Aulete, entre outros, só abonam a expressão "estar a par do assunto". Se você não quer discussão, fique com "estar a par do assunto", expressão que ninguém condena. Se gosta de uma boa briga, fique com "ao par".

## "Garage" ou "garagem"?

**14**
**DIA DO MOTORISTA DE CARROS**

Certa época, Nélson Piquet apareceu na televisão como estrela de uma propaganda da BMW. Sem comer nenhum "s" (acerta o plural de dólar – dólares), o tricampeão terminava o texto sugerindo que o potencial cliente tirasse o carro do sonho e o colocasse na garag... Parece que ele disse *garage*, palavra de origem francesa. Os dicionários registram as formas "garage" e "garagem".

## "A partir de 18 anos"

**15**
**DIA DOS ADULTOS**

Um leitor pergunta sobre a expressão "a partir de". Ouviu um repórter dizer "a partir dos 18 anos ele é adulto..." e achou estranho. "O certo não seria 'desde os 18 anos'?", pergunta. Realmente, o uso de "a partir de" para indicar o passado causa algum desconforto. Parece que a expressão combina mais com o futuro. Mas, caro leitor, os dicionários dão razão ao repórter. Para "desde", Aurélio dá "a partir de" – entre outros significados. Caldas Aulete dá "a datar de" e em "partir" dá "a partir de" como equivalente a "a datar de", ou seja, dá "desde" e "a partir de" como equivalentes.

**16**
**DIA DOS CORTADORES DE CANA-DE-AÇÚCAR**

## O plural de "álcool"

Qual é o plural dessa palavra, que vem do árabe e é usada em muitas línguas? Edições antigas de vários dos nossos dicionários registram a forma "álcoois", proparoxítona. A última edição do "Aurélio" ("Novo Aurélio Século XXI", lançado em 1999) e o "Houaiss" (lançado em 2001), no entanto, indicam como plural a forma "alcoóis" (cujo acento se justifica pela presença do ditongo aberto e tônico "oi"). Nas edições anteriores, o dicionário Aurélio registrava "álcoois" e recomendava que, na pronúncia, o último "o" fosse aberto. Como se vê, a questão é confusa, mas parece incontestável a legitimidade da forma "álcoois". Vale a pena lembrar que "álcool" é uma das tantas palavras de origem árabe que há na nossa língua.

**17**
**DIA DO TRIBUNAL DE CONTAS DO BRASIL**

## "Veredicto" ou "veredito"?

Cuidado com o "c" dessa palavra! Nada de eliminá-lo. A forma correta é "veredicto", palavra de origem latina, que, ao pé da letra, significa "verdadeiramente dito". Em compensação, nada de colocar o "c" em "aficionado". Não existe "aficcionado", como gostam de dizer os jornalistas esportivos. Ninguém é aficcionado de nada. Diga "Os aficionados do futebol", ou "Os aficionados ao futebol".

## “Surtir efeito” ou “sortir efeito”?

**18**
**DIA DO FARMACÊUTICO**

“Os remédios ministrados não sortiram efeito.” “É correto isso? Não seria ‘surtiram’?”, perguntou um leitor. Seria, sim. “Surtir” significa “originar”, “causar”. A forma correta, portanto, seria “Os remédios ministrados não surtiram efeito”. O verbo “sortir” significa “variar”, “misturar”. É por isso que se diz “balas sortidas”, que nada mais são do que balas de diversos sabores. O que temos no caso é mais uma das tantas duplas de parônimos da nossa língua. Parônimos são palavras parecidas na grafia e na pronúncia, mas diferentes no significado.

## A ilha de Chipre, o Cipro e o autor desta obra

**19**
**DIA DE CHIPRE**

Talvez você já tenha ouvido falar da ilha de Chipre, paraíso turístico do Mediterrâneo. Como se chama o natural dessa ilha, ou seja, qual é o adjetivo pátrio (ou gentílico) relativo a essa ilha? É cipriota. Pois bem, em italiano, o nome desse país (sim, país) é “Cipro” (lê-se “txipro”). A palavra vem do latim e, ao que parece, tem alguma relação com “cobre”. “Cipro” não é só o nome italiano da ilha; é também o nome de um famoso antibiótico. Todos se lembram de que, depois dos acontecimentos de 11 de setembro de 2001, foram muitos os casos de pessoas contaminadas (criminosamente) por “antraz”. O antibiótico Cipro, o mais usado para combater os males causados pelo “antraz”, ficou muito mais conhecido do que já era. Naquela época, o mundo inteiro viu pela televisão uma alta autoridade americana brandir uma embalagem do antibiótico e proferir esta frase: *In Cipro we trust* (“Confiamos no Cipro”). O “Cipro” em questão não sou eu, juro.

**20**
**DIA DA CIDADE DO RIO DE JANEIRO**

## "Fluminense" e "Flamenguista"

Vários leitores me perguntam se está correta a forma "flamenguista". Um deles disse que José Lins do Rego, Mário Filho e Edilberto Coutinho sempre disseram que não existia a palavra "flamenguista", assim como não existia "fluminensista". Não se pode usar o fato de não existir "fluminensista" para condenar "flamenguista". Em "fluminense", já existe um sufixo ("ense", que se agrega à raiz latina *flumine*, que significa "rio"). Esse sufixo é formador de adjetivo e se vê em "paranaense", "guaratinguetaense" etc. É por isso que não existe "fluminensista", que seria um adjetivo derivado de um substantivo (o nome do time) que, na verdade, nasce como adjetivo. Sim, porque o nome do glorioso "Fluminense", antes de ser substantivo, é adjetivo ("povo fluminense", "governo fluminense" etc.). No adjetivo "flamenguista", temos o sufixo "ista", agregado ao substantivo "Flamengo", o que é perfeitamente normal. Em tempo: os dicionários registram a forma "flamengo" como sinônimo de "flamenguista".

**21**
**DIA MUNDIAL DA RELIGIÃO**

## O pretérito do verbo "crer"

Muitas pessoas me perguntam como se conjuga a primeira pessoa do singular do pretérito perfeito do verbo "crer". Quando ficam sabendo que é "eu cri", não são poucas as que acham graça. Aí eu pergunto como é o de "ler". E a resposta é "eu li". Depois pergunto como é o de "ver". E a resposta é "eu vi". Mas "ser" não é "eu si". Xi! Na verdade, o problema é a falta de uso. Não usamos o verbo "crer" no pretérito. Para piorar, a forma verbal "cri" lembra a palavra "cricri". E gente cricri...

## O superlativo de "antigo"

Vários adjetivos apresentam duas formas de superlativo absoluto sintético. Nesses casos, a forma considerada erudita costuma apoiar-se na raiz latina da palavra; a outra se apóia na forma portuguesa. É por isso que é perfeitamente possível dizer que alguém é "paupérrimo" (forma erudita) ou "pobríssimo". Isso também ocorre com "doce" ("dulcíssimo", forma erudita, e "docíssimo") e "magro" ("macérrimo", forma erudita, e "magríssimo", além da popular "magérrimo", que alguns dicionários já registram). Portanto é perfeitamente possível dizer que "São Vicente é antiqüíssima" (forma erudita), ou que "São Vicente é antiguíssima", esta sem trema, ou seja, com o grupo "gui" lido como o de "conseguido".

**22**
**FUNDAÇÃO DE SÃO VICENTE, A CIDADE MAIS ANTIGA DO BRASIL (1532)**

## O conde, o visconde, o barão...

Quem ocupa posição superior: o conde ou o visconde? A etimologia nos ajuda: "visconde" vem de "vice comitis", do latim. Sim, o visconde é o vice-conde, portanto... Nem é preciso terminar a explicação. É bom lembrar que o terceiro da fila é o barão. Acima dos três está o marquês, e acima do marquês, o duque. Por falar em barão, visconde, conde, marquês e duque, qual é o feminino dessas palavras? Vamos lá: "baronesa", "viscondessa", "condessa", "marquesa" e "duquesa". Como se vê, nada de "z" no feminino dessas palavras. E nada de acento circunflexo.

**23**
**DIA DA CHEGADA DO CONDE MAURÍCIO DE NASSAU EM PERNAMBUCO (1637)**

**24**
**DIA DO APOSENTADO**

### "Só vou poder me aposentar daqui trinta anos" ou "daqui a trinta anos"?

Há algum tempo, uma grande rede lojas fez uma longa campanha publicitária, cujo mote era o prazo para o pagamento da primeira prestação, que podia ser feito "daqui quarenta e cinco dias". Numa das peças dessa campanha, havia a participação de dois famosos cantores brasileiros, um dos quais dizia "daqui quarenta e cinco dias". Nada acontece daqui um minuto ou daqui três anos, tampouco um avião vai daqui Roma ou daqui Lisboa. Em todos esses casos, falta a preposição "a", que fecha a relação entre as duas pontas (de tempo ou de espaço). Corrijamos, pois: "daqui a dois anos", "daqui a um mês", "daqui a um minuto", "daqui a quinze séculos", "daqui a duas horas", "daqui a Roma", "daqui a Lisboa".

## “Paulistas” e “paulistanos”

**25**
**FUNDAÇÃO DA CIDADE DE SÃO PAULO (1554)**

Todo paulistano é paulista, mas nem todo paulista é paulistano. Sabe por quê? Porque “paulistano” se refere à cidade de São Paulo, enquanto “paulista” diz respeito ao Estado de São Paulo. Quem nasce em Campinas, por exemplo, é paulista, mas não é paulistano. E quem nasce na capital do Estado, ou seja, na cidade de São Paulo? É paulistano e, é claro, também é paulista. A questão parece simples, mas não é. Até gente que mora no Estado de São Paulo se confunde com os dois termos. Um amigo estava em uma cidade do interior do Estado com um carro cuja chapa era da capital. Andando devagar, à procura de um endereço, o forasteiro foi advertido pelo motorista do carro que o seguia. “Anda logo, ô paulista!”, disse o cidadão, cujo carro tinha chapa da urbe em que ocorreu o fato. Meu amigo olhou e disse: “Pelo que vejo, o senhor é desta cidade”. À confirmação do outro, concluiu: “Então somos paulistas os dois”. Não custa repetir: todo paulistano é paulista, mas nem todo paulista é paulistano. Eu, por exemplo, nasci em Guaratinguetá (SP), portanto sou paulista. Como não nasci na cidade de São Paulo, não sou paulistano.

**26**
**DIA DA AUSTRÁLIA**

## Dia da Austrália

Por que a Austrália tem esse nome? A Austrália fica no Hemisfério Sul. Isso lhe diz alguma coisa em relação ao significado de "Austrália"? Vamos lá: "austral" se opõe a "boreal", assim como "setentrional" se opõe a "meridional". Continua na mesma? Então anote aí: "austral" e "meridional" se referem ao sul, ao que é do sul; "boreal" e "setentrional" se referem ao norte, ao que é do norte. O nome do país ("Austrália") deriva justamente do adjetivo "austral" (que vem do latim), ao qual se acrescentou o sufixo "-ia", presente em muitos topônimos ("Amazônia", "Grécia", "Itália", "Rondônia", "Patagônia", "Romênia" etc.). A esta altura, você quer saber o que é "topônimo", não? O elemento grego "topos" (que se encontra, por exemplo, em "topografia", "tópico") significa "lugar". "Topônimo", portanto, significa "nome de lugar".

## "Diga a ela" ou "Diz a ela"?

**27**
**DIA DO ORADOR**

Como se deve dizer quando se quer que alguém leve um recado a outra pessoa: "Diz a ela que eu não agüento mais de saudade..." ou "Diga a ela que eu..."? Temos aí o emprego do verbo no modo imperativo (afirmativo). Nesse modo, a forma "diga", obtida do presente do subjuntivo, é da terceira pessoa do singular, por isso, em se tratando de língua padrão, deve ser usada com "você", "senhor", "senhora" ou outro pronome de tratamento. Já a forma "diz" é da segunda pessoa do singular do imperativo afirmativo, por isso deve ser usada com "tu". Em rigor, deveria ser "dize", já que a segunda pessoa do singular do imperativo afirmativo é obtida do presente do indicativo sem o "s" final ("dizes" – s = "dize"). Encontramos a forma "dize" neste famoso dito: "Dize-me com quem andas e eu te direi quem és".

## A moeda da Indonésia

**28**
**DIA DO COMÉRCIO EXTERIOR**

Na década de 90, a economia dos "Tigres Asiáticos" entrou em crise, e sobraram torpedos até para a língua portuguesa. O pessoal de rádio e TV sofreu para pronunciar o nome da moeda da Indonésia. Muita gente dizia "rúpia". "Rúpia" é uma planta aquática. A moeda é "rupia", sem acento no "u". Lê-se com força no "i", tal qual "Maria", "mania", "tia", "dia", "nostalgia", "ousadia", "simpatia".

**29**
**DIA DO JORNALISTA**

## A expressão "jogar a toalha"

"Mais dia, menos dia, o ministro Cavallo vai ter de jogar a toalha." Publicada num dos nossos jornais quando Domingos Cavallo era o todo-poderoso ministro da Fazenda argentino, a frase se referia à insistência de Cavallo em manter a igualdade entre dólar e peso. De onde vem e o que significa a expressão "jogar a toalha"? Essa expressão é usada no boxe. Quando um lutador apanha muito – a ponto de sua vida correr risco –, cabe ao árbitro interromper o combate e dar a vitória ao outro lutador. Quando o árbitro demora para tomar essa providência, é comum que o treinador do pugilista massacrado anuncie a desistência de seu pupilo. Como? Jogando a toalha no centro do ringue. Moral da história: "jogar a toalha" significa "desistir".

**30**
**DIA DA SAUDADE**

## "Saudade" e "saudades"

Muitas pessoas perguntam se é possível empregar a palavra "saudade" no plural e como ficam os termos que modificam esse substantivo abstrato. É mais do que correto o uso de "saudade" no plural, com seus modificadores também flexionados no plural: "Ela sentia muitas saudades". Os substantivos abstratos que designam sentimentos normalmente são empregados no singular (a raiva, a inveja, o ódio etc.), mas alguns deles são usados regularmente no singular ou no plural: o ciúme, os ciúmes, a felicidade, as felicidades etc.

**31**
**DIA MUNDIAL DA SOLIDARIEDADE**

## "Beneficente" ou "beneficiente"?

Uma das maneiras de ser solidário é promover atividades benefic... E agora: "beneficentes" ou "beneficientes"? Eis aí um caso perigoso. Como logo associamos essa palavra a "benefício", somos tentados a empregar "beneficiente/s". A forma correta é "beneficente/s". Nesse adjetivo, temos a terminação latina "-ente", presente em tantas de nossas palavras: "maledicente", "cadente", "confidente", "indulgente", "servente", "influente", "delinqüente", "conivente" etc. É bom lembrar que quem se dedica a atividades beneficentes pratica a "beneficência" (e não "beneficiência").

# FEVEREIRO

FEVEREIRO

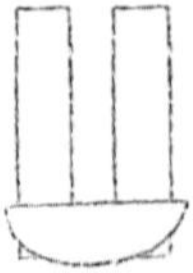

**01**
**DIA DA POSSE DA ASSEMBLÉIA NACIONAL CONSTITUINTE (1987)**

## O que é "constituinte"?

É simplesmente aquele ou aquilo que constitui, que forma, que é parte. A Assembléia Constituinte organiza a Constituição, o contrato social que rege a vida de todos nós. A palavra "constituinte" nos faz pensar no verbo "constituir", que, como todos os verbos terminados em "uir", apresenta a terminação "ui" na terceira pessoa do singular do presente do indicativo: "ele constitui". Veja outros exemplos: "ele influi" (de "influir"), "ele possui" (de "possuir"), "ele retribui" (de "retribuir") etc.

**02**
**INAUGURAÇÃO DO PORTO DE SANTOS - SP (1892)**

## O presidente chegou "em" São Paulo ou "a" São Paulo?

No Brasil, na linguagem oral, a construção "chegar em" é muito mais comum do que "chegar a". Nos textos literários modernos, a proporção se mantém, mas na linguagem formal predomina a construção "chegar a". O fato é o seguinte: na sintaxe tida como padrão na escrita formal culta, os verbos que indicam idéia de movimento são empregados com a preposição "a": "O governador vai a Santos hoje"; "O presidente ainda não chegou a São Paulo"; "Ela pretende levar os netos ao cinema" etc.

## "O padre ainda não tinha chegado quando começaram os festejos"

O particípio de "chegar" é "chegado". "Chego" é a primeira pessoa do singular do presente do indicativo. A forma correta, portanto, é "O padre ainda não tinha chegado quando começaram os festejos". Parece desnecessário dizer que a forma "tinha chego" não é correta. É importante lembrar outros verbos que têm apenas uma forma de particípio: "abrir" ("aberto"), "trazer" ("trazido"), "cobrir" ("coberto"), "escrever" ("escrito"), "descobrir" ("descoberto"), "fazer" ("feito") etc.

**03**
**DIA DA NAVEGAÇÃO NO RIO SÃO FRANCISCO**

## "Viagem" ou "viajem"?

Os portugueses descobriram o Brasil em uma de suas viagens mar afora. Muito tempo já se passou, mas muita gente ainda se atrapalha com o uso das palavras "viagem" e "viajem". "Quero que viajem agora. Façam boa viagem." Que tal? Nenhum problema. "Viagem", com "g", é o substantivo: "boa viagem", "viagem interessante", "uma viagem inesquecível", "fazer uma viagem". "Viajem", com "j", é forma do verbo "viajar". Como o verbo "viajar" se escreve com "j" – se fosse com "g" seria "viagar" –, todas as suas formas serão grafadas com "j": "Viajei na semana passada"; "Ela quer que eu viaje agora"; "Será necessário que vocês viajem imediatamente".

**04**
**DIA DAS MISSÕES PORTUGUESAS**

FEVEREIRO

**05**
**DIA DA PAPILOSCOPIA**

## O que é ser "destro"

A papiloscopia tem por objetivo estabelecer a identidade das pessoas pelo estudo dos desenhos papilares formados na planta dos pés, na palma das mãos e na ponta dos dedos. Por falar em dedos, veja só esta "maluquice" da língua: "destro", dizem os dicionários, significa "direito", "que fica do lado direito". Assim, um indivíduo que escreve com a mão direita ou que tem mais habilidade com a mão direita, por exemplo, é "destro". Como a maioria das pessoas é destra, "destro" acabou virando sinônimo de "hábil, ágil, desembaraçado, rápido". E "destreza" virou sinônimo de "habilidade, aptidão". Quer mais? "Ambidestro", dizem os dicionários, é "aquele que utiliza as duas mãos com a mesma facilidade". Agora, acredite se quiser: "ambiesquerdo" é simplesmente "aquele que é desajeitado de ambas as mãos". O pessoal da canhota não vai gostar nem um pouco da história.

**06**
**DIA DO AGENTE DE DEFESA AMBIENTAL**

## "Sócio-ambiental" ou "socioambiental"?

"Devo escrever 'sócio-ambiental' (como é mais usado) ou 'socioambiental' (que me parece mais correto)?", perguntou uma leitora. Quando se refere a "social", "sociedade", "fenômeno social", o elemento de composição "socio-" é anexado sem hífen, independentemente da letra inicial da palavra à qual se agrupa: "socioeconômico", "sociolingüístico", "socioeducacional", "sociocultural", "sociopolítico", "sociofamiliar", "sociorreligioso" (com "rr") etc. Portanto a leitora tinha razão. O termo "socioambiental" deve ser escrito sem hífen e, por isso, sem acento no primeiro "o". Em tempo: os dicionários e o "Vocabulário Ortográfico da Língua Portuguesa", da Academia Brasileira de Letras, ainda não registram essa palavra, usadíssima hoje em dia.

## "Ele sabe tudo a nível de produção gráfica"

A desnecessária, empobrecedora e irritante expressão "a nível de" é mais um dos tantos modismos lingüísticos que não têm origem precisa. A hipótese mais provável é que "a nível de" tenha surgido da tradução literal da expressão inglesa *at level of*. Uma frase como "A questão deve ser discutida a nível de diretoria" pode muito bem ser transformada em "A questão deve ser discutida pela diretoria". Outra como "O jogador sofreu uma contusão a nível de joelho" (a frase foi dita pelo médico de um time de futebol) melhora 1.000% quando transformada em "O jogador sofreu uma contusão no joelho". Simples, não? A expressão "a nível de" é tão útil quanto água em pó (para que se transforme em água, basta que se acrescente água). Convém lembrar que a locução "ao nível" nada tem com a história. Seu sentido é o de "à mesma altura", como se vê em "Esse fenômemo só ocorre quando se está ao nível do mar".

**07**
**DIA DO GRÁFICO**

## "Leia esse livro" ou "leia este livro"?

Na linguagem oral, os pronomes "este" e "esse" foram praticamente igualados. Na escrita, no entanto, há algumas diferenças entre eles. Uma delas diz respeito à posição do objeto de que se fala. Se esse objeto está com quem fala (ou perto dele), o pronome demonstrativo adequado é "este/a": "Leia este livro". A frase em questão pode indicar, por exemplo, que o livro está nas mãos de quem fala, do emissor. Se o livro está com o interlocutor (ou perto dele), o demonstrativo adequado é "esse/a": "Leia esse livro".

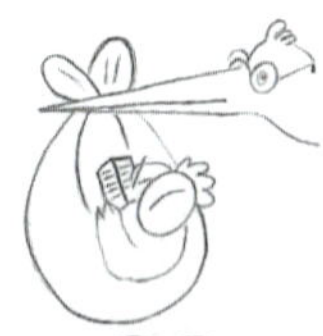

**08**
**NASCIMENTO DE JULIO VERNE - ESCRITOR. NANTES/FRANÇA (1828)**

**09**
**DIA DO ZELADOR**

## O zelador e o ascensorista

Usamos certas palavras com tanta freqüência que muitas vezes não nos damos conta de seu verdadeiro sentido. Certamente "zelador" é uma dessas palavras. Ao pé da letra, que significa "zelador"? Ora, se "corredor" é aquele que corre, "entregador" é aquele que entrega e "sofredor" é aquele que sofre, "zelador" certamente é aquele que zela, que cuida, que toma conta. Nos edifícios comerciais, além do zelador, costuma haver um ascensorista, funcionário encarregado de operar ascensor. Ascensor? Não será "elevador"? Pois é, veja como são interessantes os fatos da língua: chamamos de ascensorista o indivíduo que opera o elevador. Bem, é bom saber que "ascender" é sinônimo de "elevar", "subir". Também é bom saber que, se ascensorista se escreve com "sc" e "s", a palavra "ascensão", que nada mais é do que o ato de ascender, também se escreve com "sc" e "s". Não existe "ascenção".

10
DIA DO ATLETA PROFISSIONAL

### O verbo "competir"

Atletas profissionais competem, participam de competições. Pois bem, como se conjuga o presente do indicativo do verbo "competir"? Vamos lá: eu... Eu o quê? Eu compito (e tu competes, ele compete...). O verbo "competir" não é defectivo. O que é isso mesmo? Um verbo é considerado defectivo quando algumas de suas formas não são encontradas no registro culto da língua. "Colorir" e "feder", por exemplo, aparecem nas gramáticas e dicionários como defectivos, mas "competir" é dado como completo. Apesar de pouco usadas, formas como "eu compito" e "que eu compita" encontram registro e, conseqüentemente, são abonadas pelos dicionários.

11
DIA DA INDEPENDÊNCIA DO JAPÃO

### "Nipo-europeu", "sino-brasileiro", "teuto-argentino"

Vale a pena citar três adjetivos pátrios que têm forma reduzida: "japonês", "chinês" e "alemão", que se transformam, respectivamente, em "nipo", "sino" e "teuto". Então um acordo "nipo-europeu" nada mais é do que um acordo entre o Japão e a Europa. "Sino-brasileiro" se refere a algo que envolve a China e o Brasil. Já um tratado "teuto-argentino" obviamente envolve a Alemanha e a Argentina. Leve em conta que, de preferência, o adjetivo pátrio mais curto vem antes. Portanto "teuto-argentino" é preferível a "argentino-alemão".

**12**
**DIA DO COLETOR DE LIXO**

### "O caminhão de lixo passa todas as segundas-feiras"

"Segundas-feira" ou "segundas-feiras"? De início, é preciso lembrar que "segunda-feira" é substantivo composto, formado por um numeral ("segunda") e um substantivo ("feira"). Nesses casos, o plural é feito com a flexão dos dois elementos ("segundas-feiras"): "Muita gente eliminaria do calendário todas as segundas-feiras do ano". É claro que isso vale para as outras "feiras" da semana ("terças-feiras", "quartas-feiras" etc.). O plural de "primeiro-ministro" e o de "primeira-dama" se enquadram no mesmo caso: "Os primeiros-ministros se reuniram a portas fechadas"; "As primeiras-damas não vieram".

**13**
**DIA DO SERVIÇO DE ASSISTÊNCIA RELIGIOSA DO EXÉRCITO (MILITAR)**

### "Abóboda" ou "abóbada"?

Grafar palavras pouco usadas é ato que geralmente nos deixa confusos. Se você apostou em "abóbada", acertou. E o que é isso? Nada mais do que uma cobertura encurvada, como as que se vêem em tetos de igrejas. Figurativamente, o céu pode ser uma grande abóbada.

**14**

**DIA DA AMIZADE LUSO-AFRO-CARIOCA**

## Adjetivos pátrios compostos

Quando entram em compostos, certos adjetivos pátrios são substituídos por uma forma reduzida equivalente. Isso ocorre, por exemplo, com "italiano" (que dá lugar a "ítalo"), "francês" (que se transforma em "franco"), "alemão" (que passa a "teuto") etc. É esse o caso de "luso-afro-carioca", de que fazem parte os elementos "luso" (que equivale a "português") e "afro" (forma reduzida de "africano"). Convém notar que esses elementos reduzidos só são empregados quando integram compostos, desde que não os encerrem, ou seja, devem vir sempre no início do composto. Não se diz, por exemplo, "luso-franco", "franco-ítalo" ou "ítalo-teuto". O que se usa nesses casos? Vamos lá: "luso-francês", "franco-italiano", "ítalo-alemão" (ou "teuto-italiano").

**15**

**DIA MUNDIAL CONTRA A HANSENÍASE**

## "Não pense os ferimentos. É melhor que se lhes dê o benefício do oxigênio."

Não houve engano, não, caro leitor. Depois de "pense" havia mesmo "os" (e não "nos") nessa frase, que fez parte da prova de português do vestibular de uma importante instituição universitária brasileira. Alguns professores de português (sobretudo os obstinados) e muitos médicos certamente sabem o que significa "pensar os ferimentos". Entre as tantas acepções de "pensar", encontra-se a de "pôr penso em". Como "penso", no caso, é "curativo", "pensar os ferimentos" equivale a "cobrir os ferimentos com curativos". Com a frase em questão, portanto, quer-se dizer que é melhor não cobrir os ferimentos; é recomendável deixá-los em contato com o ar.

**16**
**DIA DO REPÓRTER**

## O plural de "repórter"

As palavras terminadas em "r" fazem o plural com o acréscimo de "es": "bar/bares", "mulher/mulheres", "dólar/dólares", "pulôver/pulôveres", "lar/lares", "suéter/suéteres", "pôster/pôsteres", "mar/mares" etc. O plural de "repórter", portanto, é "repórteres". Convém lembrar que o plural de "júnior" e "sênior" (que terminam em "r") também se faz com o acréscimo de "es", mas com alteração da sílaba tônica, que deixa de ser "jú" e "sê", respectivamente. O plural de "júnior" é "juniores"; o de "sênior" é "seniores". Nos dois plurais, a tonicidade recai sobre o "o".

**17**
**NASCIMENTO DO HISTORIADOR FRANCISCO ADOLFO DE VARNHAGEM, VISCONDE DE PORTO SEGURO (1816)**

## Por falar em historiador, existe "estória"?

Certa vez um leitor me perguntou: "Acabou, ou nem mesmo começou esta história? (Ou será estória?)". O dicionário de Aurélio Buarque registra "estória", mas, secamente, simplesmente diz que não se recomenda o uso dessa forma. O "Aurélio" recomenda "história" para qualquer dos sentidos (ciência histórica, narrativa de ficção etc.). Caldas Aulete registra "estória" como brasileirismo. No "Vocabulário Ortográfico da Lígua Portuguesa" vê-se: "estória s.f.: história". O "Houaiss" registra "estória" e não faz restrições ao uso desse vocábulo. E então? Pelo jeito, com "história" não se corre nenhum risco. Com "estória", discussões à vista.

## "Ao redor de", "em redor de", "em torno de", "em torno a"...

**18**
**DIA DA UNIDADE NACIONAL**

Por andam os astronautas? Pelo cosmos, é claro. Viajam, por exemplo, ao redor da Terra. Viajam "ao redor da Terra" ou "em redor da Terra"? As duas expressões têm registro. E não são as únicas que podem traduzir essa idéia: existem, entre outras, as expressões "em torno a", "em torno de", "derredor de", "em derredor de", "ao derredor de" etc. Sim! "Derredor" (com "rr"), como se vê neste trecho de "O Seminarista", de Bernardo Guimarães, citado no dicionário "Aurélio": "Os meninos quedos e taciturnos olhavam em derredor de si com tristeza". "Quedo" é sinônimo de "quieto"; "taciturno" significa "silencioso, calado, sem palavras".

## "A cores", "à cores", "em cores"

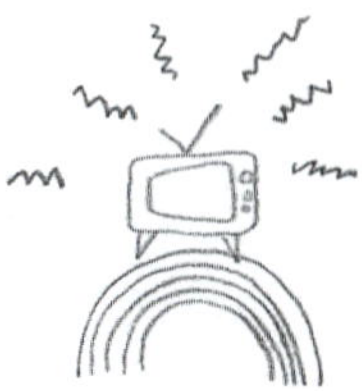

**19**
**PRIMEIRA TRANSMISSÃO DE TV EM CORES NO BRASIL (1972)**

Muitas pessoas me perguntam qual é a maneira correta, segundo o padrão culto da língua: televisão "a cores", "à cores" ou "em cores"? Gramáticos e dicionaristas têm dado preferência à expressão "em cores", certamente por analogia com a expressão "em preto e branco". De qualquer maneira, se usássemos "a cores", jamais poderíamos colocar acento grave (indicador de crase) no "a", "à" é o resultado de "a+a". Se "cores" é plural, o artigo não pode estar no singular. Se fosse "a cores", portanto, não haveria crase. Mas parece recomendável usar "em cores".

FEVEREIRO

**20**

**DIA DA OFICIALIZAÇÃO DO HINO NACIONAL BRASILEIRO PELO DECRETO Nº. 171 (1890)**

## O nosso hino e as inversões

A letra do Hino Nacional é cheia de inversões. Há uma delas logo no começo: "Ouviram do Ipiranga as margens plácidas de um povo heróico um brado retumbante". Qual é o sujeito dessa oração? Quem ouviu o brado retumbante? De início, é preciso lembrar que não há acento indicador de crase no "as" de "as margens plácidas". Bem, agora vamos eliminar a inversão, ou seja, vamos colocar a frase na ordem direta: "As margens plácidas do Ipiranga ouviram o brado retumbante de um povo heróico". Foram as margens plácidas ("plácidas" significa "calmas") que ouviram o brado ("grito") retumbante ("que retumba", "que ecoa") de um povo heróico. O sujeito dessa oração, portanto, é "as margens plácidas do Ipiranga". Outra inversão ocorre em "Brasil, de amor eterno seja símbolo o lábaro que ostentas estrelado". Na ordem direta, teríamos algo como "Brasil, (que) o lábaro que ostentas estrelado seja símbolo de amor eterno". É bom que se diga que "lábaro" significa "bandeira", "pavilhão", "estandarte". Agora descubra você mesmo outras inversões da letra e desfaça-as. Bom trabalho.

**"E quero me dedicar a criar confusões de prosódia..."**

A frase em questão está na genial canção "Língua", de Caetano Veloso. Que vem a ser "prosódia"? Vamos ao dicionário "Houaiss": "Parte da gramática tradicional que se dedica às características da emissão dos sons da fala, como o acento e a entoação"; "a própria acentuação das palavras"; "boa pronúncia". É a prosódia que se ocupa, por exemplo, de ensinar que a palavra "gratuito" se lê com força no "u" (e não no "i"). Lê-se "gratuito" como se lê "cuido", "descuido", "intuito" etc. Sabe o que é uma silabada? É simplesmente um erro de prosódia. Quem pronuncia a palavra "ibero" com força no "i", por exemplo, comete uma silabada. A palavra "ibero" é paroxítona; sua vogal tônica é o "e".

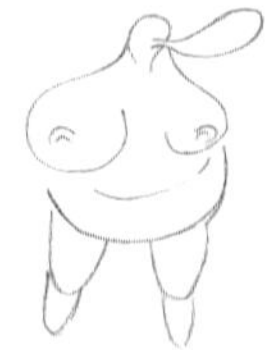

**21**
**DIA INTERNACIONAL DA LÍNGUA MATERNA**

**Américo Vespúcio e as Américas**

O continente americano deve seu nome ao navegador italiano Américo Vespúcio, que confirmou que Cristóvão Colombo não tinha chegado às Índias, mas a um novo continente. É americano, portanto, quem é de qualquer ponto de qualquer das três Américas, que, na verdade, são uma só. O problema é que um dos países da América do Norte tem o nome de... Da América (*United States of America*, ou "Estados Unidos da América", em português). É por isso que quem é dos Estados Unidos pode ser chamado de "americano", "norte-americano", "estadunidense", "estado-unidense" ou "americano-do-norte". Na prática, porém, quando se diz que determinada pessoa é americana, raramente se pensa que ela é de qualquer país do continente americano; o que nos vem à mente é quase sempre a relação americano/Estados Unidos da América.

**22**
**MORTE DE AMÉRICO VESPÚCIO (1512)**

FEVEREIRO

23
DIA DO
AGENTE FISCAL

## O agente e a gente

Por incrível que pareça, na escrita muita gente confunde "a gente" com "agente". O substantivo "agente" é comum-de-dois. Isso quer dizer que possuiu apenas uma forma para os dois gêneros (masculino e feminino): o agente sanitário, a agente sanitária. Anote aí outros exemplos de comuns-de-dois: (o/a) chefe, (o/a) chofer, (o/a) intérprete, (o/a) pianista etc. E a gente? É outra história. Trata-se simplesmente do artigo "a" e do substantivo "gente": "A gente não vai ao cinema hoje?".

24
DIA DA
CONSTITUIÇÃO
REPUBLICANA

## Mini-constituinte ou miniconstituinte?

Há algum tempo, foi discutida a tese da minirreforma constitucional. Notou como foi grafada a palavra "minirreforma"? Com "rr". É assim mesmo? Sim, com "rr". O elemento de composição "mini", de origem latina, significa "pequeno" e sempre se une à palavra seguinte sem hífen: "miniempresa", "miniusina", "miniconstituinte", "minirretrospectiva", com "rr", "minissaia", com "ss".

## "Ir à cidade" ou "ir na cidade"?

**25**
**MORTE DE MÁRIO DE ANDRADE (1945)**

Numa das cartas que escreveu para o amigo Manuel Bandeira, Mário de Andrade disse: "Os portugueses dizem ir à cidade. Os brasileiros, na cidade. Eu sou brasileiro". E então você vai me perguntar: afinal, qual é a forma correta? Em seu respeitado "Dicionário Prático de Regência Verbal", Celso Luft apresenta boa visão do problema. Depois de se referir à clássica diferença entre "ir a algum lugar" e "ir para algum lugar" ("ir a" pressupõe permanência breve; "ir para", permanência mais ou menos longa ou intuito de lá fixar residência), Luft põe em discussão o uso de "em" com o verbo "ir". "No português brasileiro também ocorre ir em, sobretudo na fala, o que pode ser até sobrevivência da língua-mãe (*latim in urbem ire*)", diz o professor. Luft encerra o assunto com esta observação: "Mesmo assim, em linguagem culta formal, sobretudo escrita, recomenda-se ir a ou ir para". E é aí que está o xis do problema. Um professor de português não pode negar a existência de usos lingüísticos diversos, de modalidades lingüísticas diversas, mas tem obrigação de dizer como funcionam as coisas na modalidade culta da língua. Nessa modalidade, "ir", "chegar", "levar" e outros verbos que indicam "movimento para" são empregados com a preposição "a": "ir a algum lugar", "chegar a algum lugar", "levar alguém ou algo a algum lugar" etc. Convém dizer que, no código culto, os substantivos "ida" e "chegada" também regem a preposição "a" (a ida a algum lugar; a chegada a algum lugar).

**26**
**DIA DO COMEDIANTE**

## O que significa "ridículo"?

Os comediantes nos fazem rir. E o que faz rir é... É risível, ridículo. Então os comediantes são ridículos? Ao pé da letra, sim, mas é melhor ver isso com calma. Na prática, quando dizemos que algo ou alguém é ridículo, normalmente queremos atribuir a essa coisa ou pessoa os piores conceitos possíveis. Usamos "ridículo" com o sentido de "digno de escárnio, gozação, zombaria", ou "grotesco", "vulgar", ou ainda "destituído de bom senso, ponderação". Ao pé da letra, no entanto, "ridículo" é apenas e tão-somente o que faz rir, o que é digno de riso. "Ridículo" é da mesma família de "rir" (que vem de *ridere*, do latim).

**27**
**DIA DA TERCEIRA IDADE**

## "A experiência é melhor que a juventude" ou "do que a juventude"?

Nas estruturas comparativas, o que se deve usar: "que" ou "do que"? "Ela corre mais do que eu" ou "Ela corre mais que eu"? Tanto faz: "Ele joga melhor do que o irmão" ou "Ele joga melhor que o irmão"; "Ele é mais rápido do que o irmão" ou "Ele é mais rápido que o irmão"; "Ele é menos eficiente do que ela" ou "Ele é menos eficiente que ela". Não custa lembrar que "melhor" pode ser o comparativo de "bom" ou de "bem". Em "Ele joga melhor que/do que eu", "melhor" é comparativo de "bem"; em "Ele é melhor que/do que eu", "melhor" é comparativo de "bom".

## “Quinhentas gramas de camarão, por favor”

“Quinhentas gramas” ou “quinhentos gramas”? A tradição da língua ensina que “grama” é palavra feminina quando dá nome ao vegetal. Quando indica medida de peso (os físicos dizem que não é peso, é massa), a palavra aparece nos dicionários como masculina: “cinqüenta gramas de isca”, “duzentos gramas de ostras”, “seiscentos gramas de linguado”, “quinhentos gramas de camarão”. Na língua viva, no entanto, é muito raro o uso dessas formas.

**28**

**DIA DA PROTEÇÃO À PESCA**

# MARÇO

MARÇO

**01**
**DIA DA VINDIMA**

## Você gosta de vinho?

No Brasil, é cada vez maior o número de pessoas que respondem "sim" a essa pergunta. Por falar em vinhos, qual é o nome que se dá à colheita das uvas e, por extensão de sentido, à época dessa colheita? É justamente "vindima". De acordo com o "Dicionário Houaiss da Língua Portuguesa" e o "Novo Aurélio Século XXI", "vindima" também pode ser a colheita de qualquer fruto. Agora que você já sabe o que é "vindima", encha uma taça com um bom vinho e saúde!

**02**
**DIA DA LUTA CONTRA A CENSURA NO BRASIL**

## Maus-tratos

Qual é a forma correta: "maltratos", "mau-tratos", "mau tratos" ou "maus tratos"? A expressão, usada basicamente na linguagem jurídica, é "maus-tratos", no plural. Significa "crime do que expõe a perigo a vida ou a saúde de pessoa que está sob sua autoridade, guarda ou vigilância". Na prática, esse termo já extrapolou os limites da área jurídica. Nessa expressão, "tratos" é substantivo, o que justifica o emprego do adjetivo "maus", com "u". Cuidado com o verbo, que é "maltratar", com "l", já que se forma pela soma do advérbio "mal" com o verbo "tratar".

## Que faz um intendente?

Que faz um "intendente"? Intende, é claro. Sim, "intende", do verbo "intender" (com "i" mesmo). Que significa "intender"? Vamos aos dicionários: "efetuar a administração de, dirigir". Moral da história: o intendente intende, ou seja, administra, dirige alguma coisa. E o "superintendente"? Teoricamente, está acima do "intendente", dada a presença do elemento "super", que indica idéia de posição superior. Na prática, porém, muitas vezes as palavras "intendente" e "superintendente" são usadas como sinônimas, o que também ocorre com "intender" e "superintender". É bom lembrar que, até o primeiro quarto do século passado, a palavra "intendente" era usada no Brasil para designar o chefe do poder executivo municipal, hoje chamado de prefeito. Na hierarquia militar, "intendente" designa o oficial encarregado de executar serviços financeiros e de abastecimento.

**03**
**DIA DO INTENDENTE**

## O plural de "pai-nosso"

O "pai-nosso" e o "padre-nosso" são a mesma oração: "Reze um pai-nosso"; "Reze um padre-nosso". O plural de "pai-nosso" pode ser "pais-nossos" ou (segundo alguns autores) "pai-nossos": "Ele já perdeu a conta dos pais-nossos que rezou". O plural de "padre-nosso" pode ser "padre-nossos" ou "padres-nossos". Já que tratamos do plural de orações, não custa lembrar que o de "ave-maria" é "ave-marias": "Reze duas ave-marias". O elemento latino "ave" significa "salve".

**04**
**DIA MUNDIAL DA ORAÇÃO**

MARÇO

05
DIA DO FILATELISTA BRASILEIRO

## "E o senhor gosta de sê-lo?"

O filatelista, como se sabe, é o indivíduo que estuda e coleciona selos. Pois bem. Conta o folclore político que o ex-presidente Jânio Quadros, em uma de suas campanhas, visitou uma agência dos Correios. Dirigiu-se a um funcionário e perguntou: "O que o senhor faz aqui?". Novo no serviço, o rapaz apressou-se: "Doutor Jânio, sou o funcionário encarregado de separar as cartas nacionais das internacionais". Jânio quis saber mais: "E gosta de sê-lo?". O humilde moço: "Nunca liguei não, doutor Jânio, mas acho que, trabalhando aqui, vou acabar gostando e quem sabe até me transforme em colecionador...". "Selo" é uma coisa; "sê-lo" é outra. Em "sê-lo", temos a forma verbal "ser" associada ao pronome "o", que no caso equivale a "isso". A pergunta "E gosta de sê-lo?" equivale a "E gosta de ser isso?". "Sê-lo" resulta de "ser" + "o": o pronome "o" se transforma em "lo", enquanto o "r" de "ser desaparece. Em conseqüência disso, a forma "sê" recebe acento circunflexo, por ser monossílabo tônico terminado em "e".

**06**

**DIA DA REVOLUÇÃO PERNAMBUCANA**

## "Do Recife" ou "de Recife"?

Em português, os nomes de cidades geralmente são usados sem artigo. Não dizemos que alguém mora "na Sorocaba" ou "na Ribeirão Preto", por exemplo. Dizemos que alguém nasceu "em Sorocaba", "em Porto Alegre", "em Manaus", "em Vitória", "em João Pessoa", "em Guaratinguetá" etc. Há (poucas) exceções, no entanto. Uma delas é "Rio de Janeiro", que se usa com o artigo masculino ("Ela mora no Rio de Janeiro"). Outra exceção ocorre com a capital do Egito, "Cairo", que também se usa com o artigo masculino ("Ele nasceu no Cairo"). O caso de Recife é interessante, já que o artigo é optativo. Os naturais da belíssima capital de Pernambuco costumam usar "Recife" com o artigo masculino ("Moro no Recife"), mas em muitas partes do Brasil se registra o uso dessa capital sem o artigo ("A população de Recife enfrentou a falta de água durante um bom tempo", escreveu um jornal de São Paulo). Nem os dicionários são uniformes em relação a isso. O "Aurélio" diz que "recifense" é o natural ou habitante "do Recife"; o "Houaiss" diz que "recifense" é "relativo a Recife". Quem tem razão? Todos. Qualquer das formas tem suas justificativas e registros.

**07**
**DIA DO FUZILEIRO NAVAL**

## "Projétil" ou "projetil"?

As duas formas são corretas. Na literatura militar, predomina a forma oxítona ("projetil", sem acento). "Projetil", aliás, é a forma inicial da palavra, que, como bem ensinam o "Houaiss" e o "Aurélio", foi importada do francês *projectile*. Diz o "Houaiss" que "este vocábulo foi por largo tempo usado no Brasil como oxítono". Na verdade, ainda é usado como oxítono, pelo menos entre os especialistas em balística, militares etc. No uso comum, predomina a forma paroxítona ("projétil"). Por falar em balística, sabe como o "Aurélio" define o termo? Vamos lá: "Ciência que estuda o movimento dos projetis...". Sim, "projetis" (oxítona, plural de "projetil"). O plural de "projétil" é "projéteis".

**08**
**DIA INTERNACIONAL DA MULHER**

## A mulher "toda-poderosa"

Dia desses, um repórter referiu-se a Margaret Thatcher como a "ex-toda-poderosa Dama de Ferro". A senhora Thatcher nunca foi "toda-poderosa". "Todo-poderosa" é um adjetivo composto. Nesse tipo de palavra, o primeiro elemento não varia. "A mulher é todo-poderosa"; "as mulheres são todo-poderosas". A exceção é "surdo-mudo". Variam os dois elementos: "mulher surda-muda", "mulheres surdas-mudas".

## "Apoio à comunidade do bairro"

**09**
**DIA DAS SOCIEDADES DE AMIGOS DOS BAIRROS**

Há algum tempo, uma leitora me perguntou se é correto o emprego do acento grave (acento indicador de crase) em "apoio à comunidade do bairro". De início, é preciso lembrar que "apoio" é substantivo e significa "ato de apoiar"; "apóio" é a primeira pessoa do singular do presente do indicativo do verbo "apoiar". O motivo do acento em "apóio" é a presença do ditongo aberto e tônico "oi". Como você escreveu "apoio" (sem acento), parto do princípio de que se trate do substantivo, o que implica dizer que é correto o emprego do acento indicador de crase em "apoio à comunidade".

## "Contacto" ou "contato"?

**10**
**DIA DO TELEFONE**

"Por favor, entre em contato assim que possível." "Contato" ou "contacto"? São muitas as palavras portuguesas que apresentam dupla grafia e, conseqüentemente, dupla pronúncia. "Contacto" e "contato" formam uma dessas duplas. A opção também vale para os verbos da família: "contactar" ou "contatar". Outra bela dupla é formada por "aspecto" e "aspeto". Achou "aspeto" uma piada? Pode consultar um dicionário, dos grandes, de preferência. "Estupefato" e "estupefacto" (que podem significar "entorpecido" ou "atônito, pasmado") também são equivalentes.

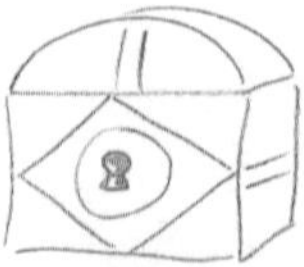

**11**

**DIA DA CRIAÇÃO DO TESOURO NACIONAL (1808)**

## O cheque e o xeque

O Tesouro Nacional cuida do dinheiro público, das rendas do Estado. Tesouro lembra dinheiro, e dinheiro lembra banco, cheque etc. Pois bem, certamente você já ouviu alguém dizer algo como "O fato coloca em xeque (ou cheque?) todo o sistema". O problema não é dizer uma frase como essa, é escrever. A expressão correta é "colocar em xeque", com "x". A palavra "xeque" vem do árabe e significa "rei", no jogo de xadrez. Quando o rei é atacado, diz-se que ele está em xeque (com "x"). Também vem do xadrez a expressão "xeque-mate" (também de origem árabe; significa "O rei está morto"), com a qual se designa um ataque ao rei. As palavras "xeque" e "xeque-mate" são muito usadas com sentido figurado. Quando se diz que um sistema – o da saúde, por exemplo – está em xeque, diz-se que sua reputação está sob suspeita. Não se confunda, pois, "xeque" com "cheque", documento bancário que dispensa explicações.

**12**

**DIA DO BIBLIOTECÁRIO**

## Biblioteca, pinacoteca, discoteca, enoteca...

O bibliotecário, obviamente, trabalha numa biblioteca, palavra em que entra o elemento grego "teca", que significa "caixa", "depósito", "estojo", "local de guarda de coleções" etc. A biblioteca, portanto, é o lugar em que se guardam livros (*biblion*, em grego). "Discoteca" é o lugar em que se guardam discos, na "enoteca" se guardam vinhos e assim por diante.

## Como se lê "obsoleto"?

**13**
**DIA DO CONSERVACIONISMO**

"Conservacionismo" diz respeito a um conjunto de políticas e técnicas de preservação racional do meio ambiente. Trata-se, portanto, de algo ligado à idéia de conservação, de conservar. É preciso tomar cuidado para não confundir "conservacionismo" com "conservadorismo", que também se relaciona com "conservar", mas tem outro matiz. O conservadorismo diz respeito à manutenção das tradições ou à aversão a mudanças. Com o último sentido, o conservadorismo se aproxima da obsolecência ("o fato ou o processo de tornar-se obsoleto"). Por falar em "obsoleto", como se lê essa palavra: "obsoléto" ou "obsolêto"? Os dicionários dizem que o adjetivo "obsoleto" (que significa "arcaico", "antiquado", "ultrapassado", "que caiu em desuso") deveria ser lido como outros que têm a mesma terminação ("concreto", "secreto", "discreto", "correto", "reto", "repleto" etc.), ou seja, com o "e" aberto ("é"). É o que se vê no "Aurélio", no "Houaiss" etc. Na prática, porém, ouve-se muito mais "obsolêto" do que "obsoléto". Na prática, o timbre considerado correto não "pegou".

**14**
**DIA DO NASCIMENTO DE ALBERT EINSTEIN (1879)**

## Qual é o adjetivo relativo a "Einstein"?

Sobrenomes de pessoas importante na ciência, nas artes, na política ou na filosofia costumam gerar adjetivos relativos à sua vida, obra e pensamento. O processo é simples: adota-se o sobrenome, com a grafia consagrada entre nós, e acrescenta-se um sufixo típico da nossa língua (normalmente "-ano"). Assim, "weberiano", por exemplo, refere-se a Weber (que pode ser o sociólgo alemão Max Weber, o fisiólogo e anatomista alemão Ernest H. Weber ou o compositor alemão Carl M. von Weber). O adjetivo relativo ao cientista Albert Einstein é "einsteiniano".

**15**
**DIA DOS ANIMAIS**

## A gravidez de Dolly

Os jornais e as emissoras de rádio e TV informaram que a ovelha Dolly, a da clonagem, estava grávida. Algumas pessoas estranharam as palavras "grávida" e "gravidez" para um animal. Não há problema nisso. Apesar de ser mais comum o emprego de "grávida" para mulheres, é possível seu uso também para animais, como a graciosa Dolly. E é bom saber que "grávida" e "prenhe" são sinônimos.

**16**
**DIA DA ERA ESPACIAL**

## Que dia é hoje?

Afinal, como se deve dizer, em termos de língua padrão: "Hoje é" ou "Hoje são 16 de março"? Na indicação de hora, data e distância, o verbo "ser" costuma concordar com o número que lhe é próximo: "De São Paulo a Campinas, são 97 quilômetros"; "Já são duas horas"; "São quinze para o meio-dia"; "Já é meio-dia e quinze", "Já é uma e quinze", "Já são quinze para o meio-dia", "Hoje são 7 de março". No caso das datas, no entanto, o uso real é outro. Predomina a opção pelo singular ("Hoje é 16 de março"), o que certamente se explica pela elipse da palavra "dia". O professor Domingos Paschoal Cegalla cita um exemplo de ninguém menos do que Joaquim Mattoso Câmara Jr. em que isso se verifica. Como se vê, a forma "são" é indiscutível, mas a forma "é" tem razão de ser. Em tempo: se a palavra "dia" estiver explícita, o singular é obrigatório ("Hoje é dia 16 de março").

MARÇO

**17**
**DIA INTERNACIONAL DO MARÍTIMO**

## A ilha e a península

Que diferença há entre "ilha" e "península"? Em termos de conceito, a diferença é simples: uma ilha é uma porção de terra (não muito extensa) cercada de água por todos os lados; uma península é uma porção de terra cercada de água por todos os lados, menos por um. A península, portanto, é quase uma ilha. Pois é aí que está o detalhe interessante. A palavra "ilha" vem do latim (*insula*). Em português, por sinal, existe a forma variante "ínsula". Poder-se-ia falar, por exemplo, na ínsula de Marajó. É "insular", "insulano" ou "ilhéu" quem habita uma ilha. Em "península" temos o elemento latino *pene* (que significa "quase") acrescentado ao elemento latino *insula* ("ilha", como já vimos). Esse *pene* é o mesmo que se encontra em "penúltimo" ("quase último") ou "penumbra" ("quase sombra"), por exemplo. Em tempo: já que o dia é do marítimo, não custa lembrar que essa palavra se escreve com "i" depois do "t".

## O natural de Jerusalém

**18**
**DIA DE SÃO CIRILO DE JERUSALÉM**

Quem nasce em Três Corações (como Pelé) é... É o quê? Anote aí: "tricordiano". Essa palavra é formada pelo elemento "tri", que significa "três", e por "cordiano", que se prende à raiz latina de "coração" (*cor, cordis*). Como se vê pelo caso de "tricordiano", alguns adjetivos pátrios reservam algumas boas surpresas. Isso ocorre também com o adjetivo relativo a Jerusalém, que é... Não é, são: "hierosolimita", "hierosolimitano", "jerosolimita", "jerosolimitano". Nos dois primeiros, temos o elemento grego *hiero*, que significa "sagrado", "santo", "divino", e se encontra em palavras como "hierarquia" ou "hieróglifo". Nos outros dois adjetivos relativos a Jerusalém, temos a variante *jero*, que entrou em nossa língua pelo latim.

## Qual o plural de "artesão"?

**19**
**DIA NACIONAL DO ARTESÃO**

A resposta depende do sentido desse termo. Quando se refere ao indivíduo que tem por ofício as artes que dependem de habilidade manual, seu plural é "artesãos". O problema é que a palavra "artesão" também se usa em arquitetura, com o sentido de "adorno que se coloca entre molduras em abóbadas e tetos". Neste caso, o plural é "artesões". Disso se conclui que é perfeitamente possível uma frase como esta: "Os artesões de determinada igreja foram produzidos por famosos artesãos".

**20**
**DIA DO DEMOLAY (MAÇONARIA)**



## A maioria dos maçons "foi" ou "foram" ao encontro anual?

Quando a expressão "a maioria" é seguida de especificador no plural ("A maioria das pessoas", "A maioria dos alunos", "A maioria dos maçons"), há duas possibilidades: a) o verbo concorda com "maioria", ou seja, vai para o singular ("A maioria das pessoas quer o bem", "A maioria dos alunos estudou para a prova", "A maioria dos maçons foi ao encontro anual"); b) o verbo concorda com o especificador, isto é, vai para o plural ("A maioria das pessoas querem o bem", "A maioria dos alunos estudaram para a prova", "A maioria dos maçons foram ao encontro anual"). Com o verbo no singular, enfatiza-se a noção de conjunto, de grupo; com o verbo no plural, enfatiza-se quem forma o conjunto. Em tempo: se a expressão "a maioria" não é acompanhada de especificador, nada de plural ("A maioria ficou", "A maioria saiu").

**21**
**DIA MUNDIAL DA POESIA**

## "Poeta" e "poetisa"

Muitas pessoas perguntam sobre o uso da palavra "poeta" para mulheres. Acham estranho que se diga "uma poeta", "a poeta". Dicionários e gramáticas sempre deram "poeta" como palavra exclusivamente masculina ("um poeta", "o poeta") e "poetisa" como o feminino. Diz-se que uma escritora (talvez a grande Cecília Meireles) reclamou da diferença, com o argumento básico de que poeta é poeta, independentemente do sexo. E a forma "poeta", para o feminino, ganhou corpo, a ponto de ganhar registro no "Vocabulário Ortográfico da Língua Portuguesa". Os dicionários, no entanto, ainda ignoram esse registro.

### "Hidrossanitário", "hidro-sanitário" ou "hidrosanitário"?

**22**
**DIA MUNDIAL DA ÁGUA**

Uma leitora, que emprega com freqüência esse termo em ofícios, procurou-o em dicionários, mas nada encontrou. O elemento de composição "hidro", que é de origem grega e significa "água", junta-se ao termo seguinte sempre sem hífen. Se a palavra agregada começar por "r" ou "s", teremos "rr" ou "ss": "hidroencefalia", "hidroagrícola", "hidrossolúvel", "hidrorrágico", "hidrossanitário", "hidromineral". Em alguns casos, há duas formas possíveis. "Hidroavião" e "hidravião", "hidroenergia" e "hidrenergia", por exemplo, são formas registradas pelo "Vocabulário Ortográfico da Língua Portuguesa".

### "Chove desde as 10h"

**23**
**DIA MUNDIAL DA METEOROLOGIA**

Não faltou o acento indicador de crase no "as"? Não faltou. A maneira mais simples de entender por que não há acento talvez seja trocar a expressão que vem depois do "as" ("10h", feminina) por uma masculina de mesma natureza, como "primeiros minutos do dia" ou "meio-dia". O que se diz? "Chove desde aos primeiros minutos do dia" ou "Chove desde os primeiros minutos do dia"? Certamente, "desde os...". Já trocou por "meio-dia"? Vamos lá: "Chove desde o meio-dia". Moral da história: "Chove desde as 10h" (e não "desde às 10h). O "as", no caso, não passa de um artigo definido.

**24**
**DIA DA UNIÃO DOS POVOS LATINO-AMERICANOS**

## O plural de adjetivos compostos

"Povos latino-americanos" é o plural de "povo latino-americano". Como se chega a isso? Vamos lá. Em "latino-americano", temos dois adjetivos formando um adjetivo composto. Nesses casos, o primeiro elemento nunca varia, nem em gênero (masculino/feminino), nem em número (singular/plural): "povo latino-americano", "povos latino-americanos"; "proposta latino-americana", "propostas latino-americanas". Isso vale para todos os casos de estrutura semelhante: "clínica médico-odontológica", "clínicas médico-odontológicas"; "questão econômico-financeira", "questões econômico-financeiras".

**25**
**DIA DA REVOLTA DOS MARINHEIROS**

## "Cataclismo" ou "cataclisma"?

Esta é uma dupla danada. Aliás, a dupla é duplamente danada. Primeiro, porque a forma registrada pelos dicionários é "cataclismo", com "o", e não "cataclisma". Segundo, porque a palavra é masculina: "o cataclismo"; "um cataclismo". E o que é isso? Vejamos os dicionários: "Grande inundação, dilúvio". Figurativamente, pode significar "convulsão social, revolta". E ainda "grande desastre, derrocada". Na prática, a palavra é quase sempre empregada com o último sentido.

## O "Mercosul", o "Mercosur" e o "Mercossul"

"Mercosul" é a sigla brasileira de uma organização sul-americana, integrada por quatro países: Brasil, Uruguai, Argentina e Paraguai. "Mercosul" resulta de "Mercado Comum do Sul". O problema é que a sigla é escrita como um substantivo próprio, ou seja, com a inicial maiúscula e as demais letras minúsculas, o que nos permitiria ler "mercozul". Talvez a melhor forma para a sigla brasileira fosse "Mercossul". Deve ter pesado na definição da forma "Mercosul" a grafia em espanhol (*Mercosur*, com apenas um "s" – *sur* significa "sul"). Na língua de Cervantes, o "s" tem sempre som forte, por isso nunca é dobrado, ou seja, não existe "ss" em espanhol.

**26**
**DIA DO MERCOSUL**

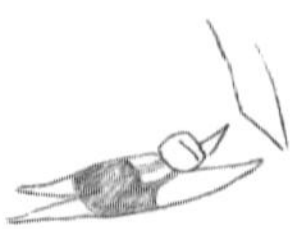

## "Acróbata" ou "acrobata"?

Há muitas palavras que admitem dupla pronúncia. Pode-se dizer "acróbata", com força na sílaba "cró", ou "acrobata", com força na sílaba "ba". Também é indiferente dizer "Oceânia" ou "Oceania", "transístor" ou "transistor" (com força na sílaba "tor", com o "o" fechado). E vale lembrar: estão nos dicionários a clássica "azálea", sem "i" e com força na sílaba "zá", e a popular "azaléia", com "i".

**27**
**DIA DO CIRCO**

MARÇO

**28**
**DIA DO REVISOR**

### "Parênteses" ou "parêntesis"?

Um leitor pergunta qual das formas é correta. Diz que no minidicionário de Celso Luft estão registradas as duas grafias, mas que no minidicionário de Aurélio Buarque não se encontra "parêntesis". É sempre arriscado consultar minidicionários, já que a limitação de espaço não permite a seus autores que operem milagres. Certos cortes são inevitáveis. "Parêntese" é singular; "parênteses" é plural. "Parêntesis", forma igualmente correta, é singular e plural: o parêntesis, os parêntesis.

**29**
**DIA DA INCLUSÃO DIGITAL**

### "Tenho de aprender computação"

"Tenho de aprender computação" ou "Tenho que aprender computação"? A questão ainda causa polêmica entre gramáticos e dicionaristas, mas o fato é que as duas formas têm uso e legitimidade na língua. De qualquer maneira, é bom dizer que a forma "ter de" é aceita por todos; o que causa polêmica é a forma "ter que". Se você é dos que não gostam de discussão, use "ter de", mas saiba que quem usa "ter que" tem a seu lado milhões de falantes, além de escritores e dicionaristas de respeito.

## De onde vem a palavra "anestesia"?

**30**
**DIA DA ANESTESIA GERAL**

"Tem cheiro a luz, a manhã nasce... / Oh sonora audição colorida do aroma!" Lembra-se desses famosos versos? São do poeta simbolista Alphonsus de Guimaraens. Neles, encontra-se a figura da "sinestesia", que nada mais é do que o cruzamento de sensações. Esses versos põem "em funcionamento" três dos nossos cinco sentidos: o olfato ("cheiro" e "aroma"), a visão ("luz", "colorida") e a audição ("sonora audição"). É um clássico exemplo de texto sinestésico. Mas o dia é da anestesia, e não da sinestesia! Ou será que a sinestesia tem alguma relação com a anestesia? Tem, sim, e como tem! Ambas vêm da mesma raiz grega ("-estesia", que significa "sensação", "percepção"). Se a sinestesia é o conjunto de sensações (o elemento grego "sin-", o mesmo de "sinfonia", "sincronia", "sinergia", significa "juntamente", "ao mesmo tempo"), a "anestesia" é a ausência delas (o elemento grego "an-" indica "negação", "privação"). Tomamos anestesia para nos livrar das sensações ruins.

## "Infringir" e "infligir"

**31**
**GOLPE MILITAR DE 1964**

Militares não podem desobedecer a determinados regulamentos. Quem os infringe... Pois bem, "infringe" é forma do verbo "infringir", que significa "transgredir", "desrespeitar", "violar", "cometer infração". Que ocorre a um militar que infringe um regulamento? Corre o risco de ver um de seus superiores infligir-lhe algum castigo. A forma "inflige" é do verbo "infligir", que significa "impor", "aplicar" (castigo, pena, punição etc.). Palavras como "infringir" e "infligir" são parônimas (parecidas na grafia e na pronúncia, mas diferentes no significado).

# ABRIL

**01**
**DIA DA MENTIRA**

## "Ledo engano"

"Que significam a palavra 'ledo' e a expressão 'ledo engano'?", perguntou um leitor. A palavra "ledo" vem do latim e significa "risonho, contente, alegre, jubiloso". O sufixo "-oso", você sabe, dá idéia de abundância. "Júbilo", também latina, significa "alegria intensa, grande contentamento". Então "ledo engano" é um "engano alegre"? Na verdade, quer-se dizer que a pessoa certamente não tem consciência do engano, pensa estar acertando e sente-se feliz, apesar de "enganada". Não posso deixar de dizer que "Ledo", com maiúscula, é nome próprio, como o do grande escritor Ledo Ivo.

**02**
**DIA INTERNACIONAL DO LIVRO INFANTO-JUVENIL**

## "Bastantes livros"

Um amigo diz que viu estas frases numa apostila do filho: "Comprei bastantes livros"; "Recebi bastantes amigos"; "Lemos bastantes revistas" e me pediu que comentasse esse emprego de "bastantes". Nas duas primeiras frases, "bastantes" equivale a "muitos"; na terceira, a "muitas". Nesses casos, "bastante" funciona como pronome indefinido e significa "numeroso", "abundante". Esse uso é consagrado na língua e abonado por dicionários brasileiros e portugueses.

## Muita gente parece ter horror ao trabalho

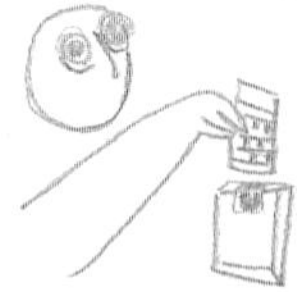

**03**
**DIA DA VERDADE**

Existe uma palavra que equivale a "medo ou horror ao trabalho"? Existe, sim. A palavra é "ergofobia", mas, melhor do que saber esse caso específico, é aprender a descobrir sozinho como chegar à resposta. O caminho é conhecer o maior número possível dos principais elementos gregos e latinos que formam nossos termos técnicos. Como? Não é difícil começar. Nossas gramáticas costumam trazer boas listas desses elementos. O hábito de ler (sim, ler!) dicionários (dos grandes) também ajuda, já que neles é comum a explicação do processo de formação das palavras. Bem, por falar em "ergofobia", você já pode chegar sozinho ao significado de "ergometria" ou "hidrofobia", por exemplo.

## "Caratê" ou "karatê"?

**04**
**DIA DO CARATÊ**

Essa é uma das tantas palavras estrangeiras que já ganharam forma aportuguesada: "caratê", com "c" e com acento circunflexo, já que se trata de uma oxítona terminada em "e". Convém lembrar que as letras "k", "w" e "y" não fazem parte do nosso alfabeto, embora apareçam em algumas palavras estrangeiras que não foram aportuguesadas, sobretudo nas que designam termos técnicos que derivam do sobrenome de alguma personalidade artística, intelectual, científica etc. É esse o caso de "keinesiano" (que diz respeito às teorias do economista inglês John Maynard Keynes) ou de "weberiano" (que diz respeito às teorias do sociólogo alemão Max Weber).

**05**

**DIA DO PROPAGANDISTA FARMACÊUTICO**

## O "antiinflamatório"

Há algum tempo, uma leitora disse que gostava de ler bulas. Intrigou-a o fato de não haver uniformidade: ora se vê "antiinflamatório" (sem hífen), ora se vê "anti-inflamatório" (com hífen). A leitora disse que já viu também "antinflamatório" (com apenas um "i" depois do primeiro "t"). "Como fica isso?", perguntou ela. A forma correta é "antiinflamatório", sem hífen e com "ii", isto é, um "i" atrás do outro. O prefixo "anti" só se liga por hífen a palavras iniciadas por "h", "r" ou "s": "anti-histórico", "anti-social", "anti-rábico". Nos demais casos, nada de hífen: "antiamericano", "antimilitarismo", "antitérmico" etc.

**06**

**DIA DO PATRIARCA**

## "À custa do pai" ou "às custas do pai"?

A questão é um tanto polêmica. A maior parte dos nossos dicionários e gramáticas diz que "custas" se usa apenas em linguagem jurídica, para designar as despesas feitas em processos judiciais ("Deverá pagar as custas do processo") e que é "à custa de" a expressão a ser usada com o sentido de "com o dinheiro de", "com os recursos de", "com sacrifício de", "com o emprego de" etc. ("Ele vive à custa do pai", "Este relógio só funciona à custa de pancadas", "Conquistou a vaga à custa de horas sem dormir"). O uso, no entanto, parece contrariar essas recomendações, já que é muito comum o emprego de "às custas de" no lugar de "à custa de". O dicionário "Houaiss", lançado em 2001, já registra "à custa de" e "às custas de" como equivalentes, de que dá estes exemplos: "Desempregado, vivia à(s) custa(s) do pai"; "Deu um fim àquela situação porém à(s) custa(s) de sua tranqüilidade".

## "O corretor com que fiz o seguro"

**07**

**DIA DO CORRETOR**

"Com que" ou "com quem"? O pronome "que" pode referir-se a pessoas ("As moças que me atenderam"; "As professoras de que mais gosto") ou a coisas ("Os livros que comprei"; "Os pratos em que comi"), portanto não há erro algum na frase "O corretor com que fiz o seguro". A forma "O corretor com quem fiz o seguro" também é indiscutivelmente correta, já que é mais do que legítimo o uso do pronome "quem" em relação a pessoas. Vale lembrar que haveria ainda uma terceira possibilidade: "O corretor com o qual eu fiz o seguro".

## Existe "Mato Grosso do Norte"?

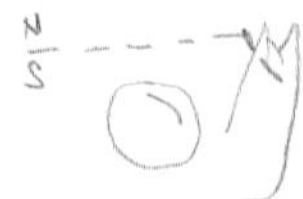

**08**

**ANIVERSÁRIO DE CUIABÁ**

Todos sabem que "sul" se opõe a "norte". Como existe o Estado de Mato Grosso do Sul, muitas pessoas, por conta própria, acabam "criando" o do Norte, ou seja, acabam dizendo "Mato Grosso do Norte". Da divisão do antigo Estado de Mato Grosso, surgiram dois. Um é Mato Grosso do Sul (cuja capital é Campo Grande); o outro é simplesmente Mato Grosso (cuja capital é Cuiabá). Os adjetivos pátrios são "mato-grossense-do-sul" (ou "sul-mato-grossense") e "mato-grossense", respectivamente. Em tempo: os sul-mato-grossenses não gostam nem um pouco de ouvir alguém suprimir o "do Sul" do nome do Estado deles. Nada de, em Campo Grande, por exemplo, dizer algo como "Aqui em Mato Grosso...". É reprimenda na certa. "Mato Grosso do Sul!" dirá seu interlocutor.

**09**
**DIA NACIONAL DO AÇO**

ABRIL

## "Enferrugem" ou "enferrujem"?

O aço resulta basicamente da liga de ferro e carbono. Aço enferruja? Depende. O inoxidável certamente não. Afinal, se ele é inoxidável, não se oxida, ou seja, não enferruja. E, por falar em "enferrujar", pense nesta frase: "Comprei portões de aço para que não enferru...". E agora: "enferrugem" ou "enferrujem"? Bem, sabemos todos que o substantivo é "ferrugem", que se escreve com "g". Disso, surge a quase incontrolável vontade de escrever "enferrugem". Nada disso. O verbo é "enferrujar", com "j". Não poderia haver ter "g" no infinitivo, porque teríamos "enferrugar". Bem, se o verbo tem "j" no infinitivo, esse "j" permanece em todas as suas formas: "Fiquei muito tempo sem fazer atividade física. Enferrujei"; "Tire as cadeiras da chuva, para que elas não enferrujem". Moral da história: "Comprei portões de aço para que não enferrujem", com "j".

**10**

**DIA DA ENGENHARIA**

## "Quando o engenheiro conclui a obra?"

"Conclue" ou "conclui"? Volta e meia, a imprensa publica formas verbais como "conclue", "possue" ou "substitue" (grafadas com "e" final). Essas formas existem? Não existem, não. As formas corretas são "conclui", "possui" e "substitui", respectivamente. Os verbos terminados em "uir" ("atribuir", "retribuir" etc.) apresentam a terminação "i" na terceira pessoa do singular do presente do indicativo ("atribui", "retribui" etc.). O equívoco na grafia (o uso de "e" em vez de "i") pode ser explicado pelo fato de que os verbos em que a terminação "ir" é precedida de consoante ("permitir", "dividir", "atingir", "subir", "repelir", "sumir" etc.) apresentam a letra "e" na terceira do singular do presente ("permite", "divide", "atinge", "sobe", "repele", "some"). Que fique claro, pois: grafamos "assiste", "dirige" etc., mas trocamos o "e" por "i" em "influi", "contribui", "possui", "conclui" etc.

ABRIL

**11**
**DIA DA ESCOLA DE SAMBA**

## O plural de "samba-enredo"

Toda escola de samba que desfila no Carnaval apresenta um samba-enredo. E qual é o plural de "samba-enredo"? Melhor do que saber esse caso específico é entender os mecanismos que regulam as flexões das palavras compostas. O primeiro passo é definir de que tipo de composto se trata: substantivo ou adjetivo? No caso de "samba-enredo", a coisa é simples: trata-se do nome de algo, portanto de um substantivo. Quais são os elementos formadores desse substantivo composto? São dois substantivos ("samba" e "enredo"). É preciso notar que em "samba-enredo" o segundo substantivo limita o primeiro, já que indica idéia de finalidade: o samba-enredo é feito com a finalidade de "cantar" o enredo que a escola apresenta no desfile. Em todos os casos em que o segundo substantivo limita o primeiro (o que ocorre basicamente quando o segundo indica semelhança ou finalidade), o plural pode ser feito de duas maneiras: com a flexão dos dois elementos ("sambas-enredos") ou com a flexão do primeiro elemento ("sambas-enredo"). A tradição da língua parece preferir a forma em que se flexiona apenas o primeiro elemento, mas as duas opções encontram registro.

**12**
**DIA DO OBSTETRA**

## Os sétuplos

Obstetras tratam de grávidas. Há algum tempo, obstetras americanos tiveram de trabalhar duro. Uma mulher deu à luz sete filhos, ou seja, deu à luz sétuplos. Até os dicionários se enrolam. Não se registra "sétuplo" com esse sentido. Chega-se a essa palavra por associação. Cinco bebês nascidos do mesmo parto são quíntuplos. E quíntuplo é numeral multiplicativo; significa "o que é cinco vezes maior". Sêxtuplo também é multiplicativo; significa "o que é seis vezes maior". Seis irmãos nascidos do mesmo parto são sêxtuplos. Sétuplo significa "o que é sete vezes maior". E por que se uso o numeral multiplicativo? Por uma razão muito simples: o normal é que nasça apenas uma criança por parto. Se nascem cinco, nasce o quíntuplo do que se esperava. São quíntuplos. Se nascem sete, nasce o sétuplo do que se esperava. Por isso as crianças são sétuplas. Não custa lembrar que, para até quatro crianças, usam-se formas que têm por base a palavra gêmeos, de origem latina (trigêmeos, quadrigêmeos).

**13**
**DIA DO OFFICE-BOY**

ABRIL

## O bói e o motobói

Um leitor disse que, na televisão, ora se vê "motobói", ora se vê *motoboy*. Diz também que sempre se vê *office-boy*. "Como se escrevem essas palavras?", pergunta o leitor. Já faz tempo que os dicionários registram "bói", forma aportuguesada de *boy*, redução do termo inglês *office-boy* (*office* é "escritório"; *boy* é "rapaz", "garoto"). É perfeitamente possível, portanto, grafar "motobói". O "Houaiss" registra "motobói", mas diz que por vezes o termo é grafado à inglesa (*motoboy*). Nesse dicionário, no entanto, não há o verbete *motoboy*. O "Aurélio" não registra nenhuma das duas formas, mas registra "bói".

**14**
**DIA PAN-AMERICANO**

## O significado de "pan"

Por que os "Jogos Pan-Americanos" têm esse nome? Porque são disputados por países de toda a América. O elemento grego *pan* significa justamente "inteiro", "na totalidade", "todos". Na palavra "panteão", por exemplo, temos "pan" e outro elemento grego, *theós*, que se vê em "ateu" e "teologia", por exemplo, e significa "deus", "divindade". O panteão nada mais é do que um templo que os antigos romanos dedicavam a todos os deuses.

## Infanticídio, uxoricício, genocídio...

Neste país tão violento, quem é que nunca ouviu falar em homicídio? Não há quem não saiba o que significa essa maldita palavra: ato de matar outra pessoa; assassinato. O elemento "-cídio", que vem do latim, significa justamente "assassínio, assassinato, morte". Dia desses, um advogado dizia na TV que o "uxoricídio é...". Sabe o que é isso? Lá vai: "uxoricídio" é o assassinato da própria mulher. *Uxor*, do latim, significa "mulher casada". Se "uxoricídio" é o assassinato da própria mulher, o "uxoricida" nada mais é do que aquele que executa o maldito ato. O elemento "-cida", também de origem latina, indica aquele que mata. É o mesmo de "inseticida", "vermicida", "fungicida". E como se chama a mulher que mata o próprio marido? Lá vai: "mariticida". O ato de matar o próprio marido é "mariticídio". Existe aí o elemento "-cídio", o mesmo de palavras como "genocídio", "homicídio", "filicídio", "infanticídio". Esta nada mais é do que o assassinato de uma criança. Para que termine a verdadeira carnificina que toma conta do Brasil (um dos países mais violentos do mundo), é fundamental desarmar nossa população.

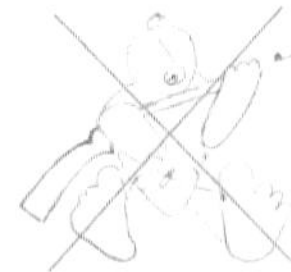

**15**
**DIA DO DESARMAMENTO INFANTIL**

**16**
**DIA NACIONAL DA VOZ**

ABRIL

## A voz e o advogado

Qual é o adjetivo relativo ao substantivo "voz"? É "vocal". Um grupo vocal, por exemplo, é um grupo que canta, o que certamente exige o emprego da voz. E onde entra o advogado na história? É simples: quem advoga exerce a advocacia, não? Pois bem, tanto em "advocacia" quanto em "vocal", temos a raiz latina "voc-", que diz respeito à voz. Por acaso o advogado não é a "voz" da pessoa ou instituição que representa? O elemento latino "ad-", como se sabe, indica idéia de aproximação, junção. É bom que se diga que a raiz de "voz" está presente em muitas de nossas palavras: "convocar", "evocar", "provocar", "vocativo" etc.

**17**
**DIA NACIONAL DA BOTÂNICA**

## "Alguns vegetais precisam de muita umidade para sobreviver"

"Umidade" ou "humidade"? Se você ler um livro editado em Portugal, vai encontrar a forma "humidade" (com "h"). Em Portugal, a grafia empregada de fato é essa. O "h" está na família toda: *húmido*, *humidade*, *humedecer*, *humedecimento*, *humedecido*, *humidificar* etc. No Brasil, a grafia adotada é sem "h": "úmido", "umidade", "umedecer", "umedecimento", "umedecido", "umidificar" etc. Até 1943, também grafávamos essa família com "h". Na reforma ortográfica (ocorrida justamente em 1943), abolimos o "h" desse grupo de palavras. Esse caso não é o único em que se registra diferença gráfica entre a forma portuguesa e a brasileira. Além das inúmeras palavras que em Portugal se escrevem com "c" ou "p" (como *adoptar* e *direcção*), pode-se citar como exemplo dessa divergência a palavra "berinjela", que entre nós se grafa com "j", mas em Portugal se escreve com "g" (*beringela*).

## O "picapau" de Monteiro Lobato

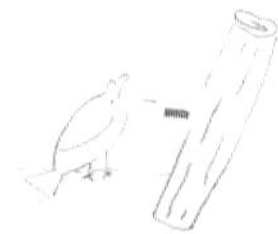

**18**

**DIA ESTADUAL DE MONTEIRO LOBATO (SP)**

Quem é que não conhece "O Sítio do Picapau Amarelo", do genial Monteiro Lobato? Pois bem, no título da obra, a palavra "picapau" é grafada sem hífen, mas nos dicionários e no "Vocabulário Ortográfico da Língua Portuguesa" essa palavra aparece com hífen ("pica-pau"). Trata-se de um substantivo composto, formado pelo verbo "picar" e pelo substantivo "pau". Convém lembrar que o plural de substantivos compostos que têm essa formação é feito com a flexão do segundo elemento: "os pica-paus".

## "Quirera" ou "quirela"?

**19**

**DIA DO ÍNDIO**

"Quirera de milho" ou "quirela de milho"? Parece que a forma mais usada pelo povo é "quirela". Tanto faz. Existem as duas formas: quirera e quirela. A palavra é brasileira, de origem tupi. Essas palavras normalmente são usadas para nomear o milho quebrado que se dá às aves, mas muita gente também as usa em relação ao arroz ou outros cereais. E nada de confundir "quirela" com "querela". Além de ter aplicação específica em linguagem jurídica, "querela" significa "discussão, pendência".

**20**
**DIA DO DIPLOMATA**

ABRIL

## Os nomes de cidades estrangeiras

Muitas pessoas me perguntam o motivo pelo qual escrevemos "Buenos Aires", mas não escrevemos *London*, e, sim, "Londres". Qual o critério a ser adotado? Lamento muito, mas não há critério rigoroso. De fato, em alguns casos, traduzimos. As cidades italianas de *Milano*, *Torino* e *Venezia*, por exemplo, viram "Milão", "Turim" e "Veneza". Em outros casos, ficamos com a forma original, o que ocorre com *Saint Louis*, e *Bordeaux* (que em Portugal é *Bordéus*), por exemplo. O que dizer, então, do bizarro caso de "Nova York" (metade em português, metade no original)? Em tempo: segundo o "Vocabulário Onomástico da Língua Portuguesa", que tem força de lei, deve-se escrever "Nova Iorque".

## O superlativo de "louvável"

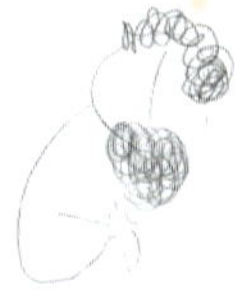

**21**
**DIA DE TIRADENTES**

Tiradentes é um dos tantos personagens louváveis de nossa história. E, por falar em "louvável", qual é o superlativo desse adjetivo? "Louvável" vem do latim *laudabilis*, de que também se originou "laudável". "Louvável" é o mesmo que "laudável". Pertencem a essa família os termos "laudatório", "laudativo", "laudabilidade", "laudatício", entre outros. Um discurso laudatório, por exemplo, é feito em louvor de alguém ou de algo. "Laudabilíssimo" pode ser o superlativo de "laudável" ou de "louvável"; "louvabilíssimo" só é superlativo de "louvável". Como se vê, um mesmo adjetivo pode apresentar dois superlativos. Nesses casos, uma das formas (considerada erudita) costuma apoiar-se no latim, enquanto a outra se vale da base portuguesa. É por isso que "laudabilíssimo" pode ser o superlativo erudito de "louvável", que, como vimos, vem de *laudabilis*. Outros exemplos de dois particípios são "paupérrimo" e "pobríssimo" (de "pobre"), "nigérrimo" e "negríssimo" (de "negro"), "macérrimo" e "magríssimo" (de "magro"), "dulcíssimo" e "docíssimo" (de "doce") etc.

## "Para frente Brasil" ou "Para a frente Brasil"?

**22**
**DESCOBRIMENTO DO BRASIL**

Muita gente pensa que, como não se usa artigo antes da palavra "trás", também não se deve usar antes de "frente". Não é bem assim. "Trás" é advérbio; "frente" é substantivo. Dizemos "a frente do carro", mas não dizemos "o trás do carro". Dizemos "a parte de trás", mas dizemos "a parte da frente". Então deve-se dizer (e escrever) "ir para trás" e "ir para a frente": "É preciso caminhar sempre para a frente".

**23**
**MORTE DE SHAKESPEARE**

## Temperatura de verão

O autor de "Sonho de uma Noite de Verão" é um dos mais conhecidos e lidos escritores de todos os tempos. E, por falar em verão, qual é o adjetivo relativo a essa estação do ano? Que se poderia usar no lugar de "de verão", por exemplo, no título da famosa e memorável canção "Chuvas de verão" ("Podemos ser amigos simplesmente..."), de Fernando Lobo (pai do grande compositor Edu Lobo)? Anote aí: o adjetivo relativo ao verão é "estival" ou "estivo", palavras de origem latina, da mesma família de "estio", que é o próprio verão. As chuvas de verão, portanto, são estivais ou estivas. O duro é imaginar a canção transformada em "Chuvas Estivais". Que tal? Nem pensar, não é? Fernando Lobo fez a escolha certa.

**24**
**DIA DO BOI**

## "Pião" ou "peão"?

Muita gente tem medo de escrever "pião", com "i". "Pião" é um brinquedo, normalmente feito de madeira. Sua base é um prego, que lhe permite girar. "Peão" é outra coisa. A palavra vem do latim e significa "pedestre", ou seja, "aquele que anda a pé". No Brasil, costuma designar aquele que caminha tocando o gado. Em Portugal, a palavra aparece em muitas placas de trânsito, como as que advertem os motoristas, para que tomem cuidado com peões, ou seja, com os pedestres.

## "A princípio, ela queria ser médica"

**25**
**DIA MUNDIAL DAS VOCAÇÕES**

"Em princípio" ou "a princípio"? Depende. Essas expressões são parecidas, mas não são equivalentes. "Em princípio" significa "em tese", "antes de qualquer consideração", "antes de mais nada": "Em princípio, sou favorável à sua participação no projeto"; "Em princípio, devo ir amanhã". A expressão "a princípio" significa "no começo, no início": "A princípio, o namoro ia bem, mas depois tudo se complicou". Existe também a expressão "por princípio", que significa "por convicção, por norma de conduta": "O motorista deve ter por princípio o respeito ao pedestre". Em "A princípio, eu queria ser médico", temos, portanto, a idéia de que, num primeiro momento, ela queria ser médica.

## O plural de "gol"

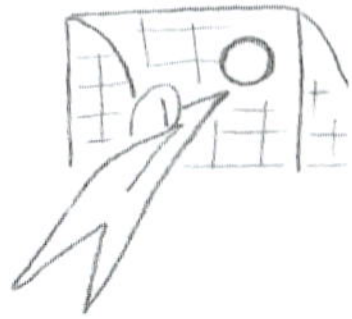

**26**
**DIA DO GOLEIRO**

Qual é o plural de "gol"? As normas da língua exigiriam a forma "gois", com o "o" fechado, é claro. Afinal, se o plural de "sol" é "sóis", se o de "rol" é "róis" e o de "anzol" é "anzóis", ou seja, se se troca o "l" por "is", o plural de "gol" deveria ser "gois". Alguém se habilita? Os dicionários registram também a forma "goles" (com o "o" fechado). Veja o que diz o "Aurélio" sobre o plural de "gol": "É incoerente o plural gols, para uma palavra aportuguesada. Contudo, parece-nos difícil que se venha a fugir desse barbarismo, tão arraigado está". Eu diria que não é difícil, é impossível. Vale registrar que em Portugal e no Rio Grande do Sul se usa a forma "golo", cujo plural é "golos".

27
DIA DO SACERDOTE

ABRIL

## "Em pé" ou "de pé"?

"Há dias, em uma cerimônia litúrgica, ao dizer a frase 'Fiquemos de pé, para aclamação ao Santo Evangelho', fui contestada por alguém, que me disse que o certo é 'Fiquemos em pé'. Quem tem razão?", perguntou-me uma leitora. As duas formas ocorrem na língua padrão. Ambas são mais do que corretas e consagradas. No verbete "pé" dos dicionários "Novo Aurélio Século XXI" e "Houaiss", as expressões "de pé" e "em pé" são dadas como equivalentes, com o significado de "em posição vertical, ereto, firme". "A pé" é outra história. Significa "com os próprios pés", "caminhando", ou "na sola", como diz a garotada: "Fui até lá a pé"; "Fomos de Copacabana a São Conrado a pé".

28
DIA DA EDUCAÇÃO

## "Interdisciplinaridade" ou "interdisciplinariedade"?

"Assisti recentemente a uma palestra de um professor universitário sobre educação e ele usou a palavra "interdisciplinariedade". Muitos empregam "interdisciplinaridade". Existem as duas palavras?", perguntou-me uma leitora. De "capilar" ("relativo ao cabelo"), temos "capilaridade"; de "secular", "secularidade". É esse o caso do substantivo "disciplinaridade", formado a partir do adjetivo "disciplinar" (que termina em "r"), com o acréscimo da terminação "idade", presente em tantas e tantas palavras portuguesas ("honestidade", "capacidade", "pluralidade", "latinidade" etc.). A terminação "iedade" aparece em substantivos derivados de adjetivos terminados em "io" ("precário/precariedade", "sério/seriedade" etc.).

## Por que quem nasce em Salvador é "soteropolitano"?

Muitos dos adjetivos que se referem a cidades, estados ou países têm origem grega ou latina. É o caso de "tricordiano", que se refere a Três Corações (MG), cidade natal de Pelé. Esse adjetivo é formado pelos elementos latinos "tri" ("três") e *cor*, *cordis* ("coração"), aos quais se agrega a terminação "-iano". "Soteropolitano" se refere a "Soterópolis", que os dicionários dão como "helenização" do nome da capital do Estado da Bahia. Que vem a ser "helenização"? É o "ato de helenizar". Os helenos deram origem ao povo grego. Em outras palavras, "helenizar" é "tornar conforme ao caráter grego", "dar caráter grego". Pois bem, em sua versão "grega", Salvador se transforma em "Soterópolis", que, segundo Caldas Aulete, vem de *soter* ("salvador") + *polis* ("cidade"). Além de "soteropolitano", existe a forma "salvadorense". É bom lembrar que muitos baianos se referem à capital de seu estado como "Cidade da Bahia", o que explica por que alguns dicionários (o "Houaiss" e o de Caldas Aulete, por exemplo) registram "baiano como relativo a todo o Estado da Bahia ou apenas à capital".

**29**

**DIA DO NASCIMENTO DE DORIVAL CAYMMI (1914)**

**30**
**DIA DA ORGANIZAÇÃO DOS ESTADOS AMERICANOS (OEA)**

ABRIL

## As flexões de "político-econômico"

A OEA é o grande centro de discussão dos problemas dos países das três Américas. Esses problemas podem ser sociais, econômicos, políticos... E se forem ao mesmo tempo políticos e econômicos? Temos aí a possibilidade de empregar um adjetivo composto formado por dois adjetivos. Em "problema político-econômico", por exemplo, temos o substantivo "problema" qualificado pelo adjetivo composto "político-econômico". Nesses casos, só se flexiona o segundo elemento do composto, tanto em gênero (masculino/feminino) quanto em número (singular/plural): "questão político-econômica", "acordos político-econômicos", "questões político-econômicas".

# MAIO

01
DIA DO TRABALHO

MAIO

## O plural de "hora extra"

Apesar das conquistas que se celebram no "Dia do Trabalho" (que na verdade é o dia do trabalhador), muita gente ainda trabalha mais do que deveria. Pois bem, aquela hora que vai além do expediente normal chama-se "hora extra", não? Como se faz o plural dessa expressão: "horas extras" ou "horas extra"? Vamos logo à resposta: "horas extras". É interessante o caminho percorrido pelo prefixo latino "extra", que significa "posição exterior", "fora de", "na parte de fora", "à exceção de", e está presente em inúmeras palavras: "extraterrestre", "extra-abdominal", "extra-humano", "extra-intestinal", "extrajurídico", "extra-oficial". Esse prefixo só se liga com hífen a palavras iniciadas por vogal, "h", "r" ou "s". A exceção é "extraordinário" ("ordinário" é iniciada por vogal, mas não há hífen em "extraordinário"). E é justamente o adjetivo "extraordinário" o pai da forma reduzida "extra". Como "extra" significa "fora de", "extraordinário" significa "fora do ordinário", ou seja, fora do que é comum, normal, ordinário. Por ser grande, a palavra "extraordinário" não fugiu de um processo lingüístico implacável: a redução. Com isso, o prefixo passou a ter também o sentido do adjetivo. Nesse caso, sua flexão é normal, como a de um adjetivo qualquer: "hora extra", "horas extras". Em tempo: quando usado como prefixo, nada de flexioná-lo. O plural de "extra-oficial" é "extra-oficiais"; o de "extra-sístole" é "extra-sístoles".

## O "ês" de libanês, japonês, norueguês etc.

O adjetivo "libanês" diz respeito ao Líbano, assim como "norueguês" diz respeito à Noruega, e "holandês" diz respeito à Holanda. Que têm em comum essas três palavras? O processo de formação. Em todas elas existe o sufixo "-ês", que tem origem latina e é formador de adjetivos pátrios, que nada mais são do que aqueles que indicam procedência, lugar de origem. O detalhe está na grafia: nada de "z". Todos os adjetivos pátrios terminados em "-ês" são escritos com "s". Também é importante lembrar que, no masculino, ocorre o acento circunflexo ("libanês" é uma oxítona terminada em "-ês" e, por isso, é acentuada graficamente). No feminino, a história muda: "libanesa" é paroxítona terminada em "a" e, por isso, não é acentuada.

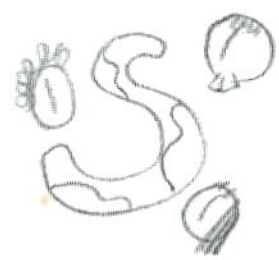

**02**

**DIA ESTADUAL DO IMIGRANTE LIBANÊS (MG)**

**03**
**DIA DO SOL**

## O plural de "pôr-do-sol"

Já sabemos que, quando se faz o plural de uma palavra composta, o primeiro passo é definir de que tipo de composto se trata: substantivo ou adjetivo? "Pôr-do-sol" é substantivo, já que essa palavra é usada para nomear um fato da natureza. O segundo passo é verificar que elementos formam o composto. Em "pôr-do-sol", há dois substantivos, ligados por uma preposição ("de"). É de notar que, nesse caso, a palavra "pôr" foi substantivada, tanto é verdade que dizemos "o pôr-do-sol". Pois bem, o plural dos substantivos compostos formados por dois substantivos ligados por preposição é padrão: só varia o primeiro elemento. Veja estes exemplos: o pé-de-moleque, os pés-de-moleque; a mula-sem-cabeça, as mulas-sem-cabeça; a lua-de-mel, as luas-de-mel. O plural de "pôr-do-sol", portanto, é "pores-do-sol" (sem acento em "pores"): "São belos os pores-do-sol em Petrópolis".



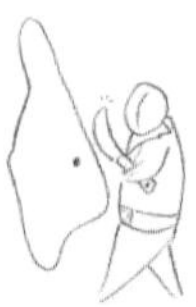

**04**
**DIA DA CRIAÇÃO DO ESTADO DE RONDÔNIA**

## O natural de Rondônia

Esse jovem Estado brasileiro deve seu nome ao de Cândido Mariano da Silva Rondon, que nasceu em 1865 e morreu em 1958. Militar, sertanista e indigenista, Rondon foi um verdadeiro desbravador do Brasil. Pois bem, o adjetivo relativo a Rondônia é rondoniense ou rondoniano, e o relativo a Porto Velho, capital do Estado, é "porto-velhense".

05
DIA NACIONAL DAS COMUNICAÇÕES

## O verbo "comunicar"

Leia esta frase: "Os jornalistas comunicaram o governador da decisão do ministro". Que tal? Apesar de freqüente, essa frase não obedece ao padrão culto da língua. Nesse padrão, a construção que ocorre é "alguém comunica algo a alguém" (e não "alguém comunica alguém de algo"). Moral da história: a frase correta é "Os jornalistas comunicaram ao governador a decisão do ministro". Na voz passiva, a construção padrão é "algo é comunicado a alguém" ("A decisão do ministro foi comunicada ao governador pelos jornalistas", em vez de "O governador foi comunicado da decisão do ministro pelos jornalistas"). Em suma, como se comunica um fato a uma pessoa (e não uma pessoa de um fato), um fato pode ser comunicado a uma pessoa, mas uma pessoa não pode ser comunicada de um fato. A regência de "comunicar" certamente sofre influência da de "informar", que admite duas construções: "informar algo a alguém" e "informar alguém de algo". Com "informar" são possíveis duas construções (tanto na ativa quanto na passiva): "Os jornalistas informaram a decisão do ministro ao governador" ("O governador foi informado da decisão do ministro pelos jornalistas") e "Os jornalistas informaram o governador da decisão do ministro" ("A decisão do ministro foi informada ao governador pelos jornalistas").

**06**
**DIA DO CARTÓGRAFO**

## "Concomitante" e "concomitantemente"

O cartógrafo trabalha concomitantemente no mapa de diferentes estados. É bom começar pelo significado: o adjetivo "concomitante" significa "simultâneo" ("Os fatos são concomitantes"). Como qualquer adjetivo, "concomitante" dá origem a um advérbio de modo, com o acréscimo de "-mente": "Os fatos ocorreram concomitantemente". O adjetivo e o advérbio podem ser usados com as preposições "a" e "com". Pode-se dizer que um fato é concomitante a outro ou com outro. Também se pode dizer que um fato ocorre concomitantemente com outro ou a outro.

**07**
**DIA DO OFTALMOLOGISTA**

## Óculos escuros

O querido Raul Seixas fez muito sucesso com uma canção que começava assim: "Quem não tem colírio usa óculos escuros". Por que "escuros", e não "escuro"? Porque "óculos" é plural. Sim, "óculos" é o plural de "óculo". Então, no lugar de "meu óculos", "o óculos", "este óculos", emprega-se "meus óculos", "os óculos", "estes óculos".

## "Furta-cor" ou "fruta-cor"?

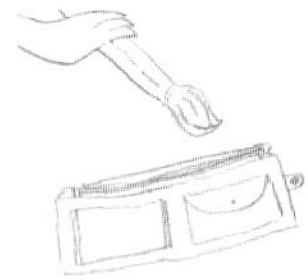

**08**
**DIA DO ARTISTA PLÁSTICO**

Você já viu aqueles objetos que projetam uma imagem que muda de acordo com a posição. Se você vira para um lado, vê uma coisa; se vira para outro, muitas vezes vê algo impróprio para menores. Esse efeito também ocorre com outras coisas (roupas, por exemplo). Pois bem, muita gente se refere a isso empregando a expressão "fruta-cor". Não é bem assim. É "furta-cor". Esse "furta" é de "furtar" mesmo. No que se muda a posição, "furta-se" a cor.

## "Ao encontro de" ou "de encontro a"?

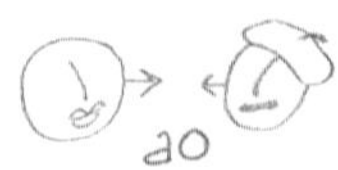


**09**
**DIA MUNDIAL DO CONGRESSO MARIANO**

A Ordem dos Frades Marianos foi fundada com o objetivo de divulgar e ampliar o culto da Imaculada Conceição. Pois bem, no "Dia Mundial do Congresso Mariano" ocorre o encontro de muitas das pessoas que se preocupam com o bem da humanidade. E, por falar em encontro, veja o que disse uma alta autoridade do país: "O trabalho do Congresso vai de encontro aos interesses do presidente da República". Se é verdade que o presidente precisa urgentemente da aprovação de seus projetos, é melhor que o trabalho do Congresso vá ao encontro dos interesses do presidente, e não de encontro a eles. O que vai de encontro a algo entra em choque, opõe-se. O que vai ao encontro de algo é favorável, vai em favor de.

**10**
**DIA DA COZINHEIRA**

## "Cozido" e "cosido"

Um leitor disse, certa vez, que um colega de classe escreveu "ovos cosidos", e o professor (que o leitor descreve como bem-humorado, sutil e irreverente) fez este comentário: "Se você foi operado, tudo bem!". "Cozer" significa "cozinhar"; "coser", "costurar". Portanto ovos cosidos são ovos costurados. Os que ficam um bom tempo na panela, em água fervente, são cozidos, com "z". É bom lembrar que, se "cozer" e "cozinhar" são sinônimos, pode-se dizer que os ovos foram "cozidos" ou "cozinhados".

**11**
**DIA DO BARBEIRO E CABELEIREIRO**

## "Shampoo" ou "xampu"?

Com exceção da indústria Embeleza, do Rio de Janeiro, não conheço nenhuma fábrica brasileira de xampu que grafe em português o nome desse produto. *Shampoo* é grafia inglesa. Aliás, a palavra vem da Índia e, na origem, significa "amassar", "apertar". Os ingleses a apanharam e a adaptaram ao seu idioma. Nós também já a adaptamos ao nosso sistema gráfico ("xampu"). Assim como não escrevemos *football*, *pullover*, *goal*, *team*, que, aportuguesadas, passaram a "futebol", "pulôver", "gol", "time", não há motivo para que continuemos a escrever *shampoo*.

## “Má-formação” ou “malformação”?

“Toda vez que se faz um trabalho, surge a dúvida: emprega-se ‘malformação’ ou ‘má-formação’? Eu ‘brigo’ sempre pela ‘má-formação’, pois entendo que ‘malformação’ é um dos inúmeros estrangeirismos que tentam incluir em nossa língua. Fica a pergunta: é correto usar ‘malformação’?” Essa pergunta foi feita por uma oftalmologista da UERJ. De fato a palavra “malformação” é estrangeira (vem do francês *malformation*), mas é registrada pelos dicionários e pelo “Vocabulário Ortográfico da Língua Portuguesa”. Em português, sua formação é irregular, já que o elemento “mal”, advérbio, não poderia modificar um substantivo (“formação”). Do ponto de vista da morfologia do português, “má-formação” (legítima e registrada por todos os dicionários) é melhor, já que nela se emprega o adjetivo “má” para modificar o substantivo “formação”.

**12**
**DIA MUNDIAL DA ENFERMAGEM E DO ENFERMEIRO**

## “Descriminar” e “discriminar”

A libertação dos escravos não acabou com o preconceito racial no Brasil. Infelizmente, muita gente ainda discrimina as pessoas pela raça. E que diferença há entre “discriminar” e “descriminar”? “Discriminar” significa “separar”, “segregar”, “classificar”; “descriminar” é o mesmo que “descriminalizar”, ou seja, significa “isentar de culpa”, “absolver”. De “discriminar” se faz “discriminação”, e de “descriminar” se faz “descriminação”. Quando se fala de preconceito racial, portanto, fala-se de “discriminação racial”, o que, pelas nossas leis, é crime. Quem discrimina racialmente pode (e deve) ser incriminado. Moral da história: quem discrimina racialmente é punido pela lei, ou seja, não é descriminado.

**13**
**DIA DA LIBERTAÇÃO DOS ESCRAVOS**

**14**
**DIA CONTINENTAL DO SEGURO**

### "O seguro venceu anteontem"

"Anteontem", "antiontem" ou "antes de ontem"? As formas "anteontem" e "antes de ontem" são absolutamente equivalentes. A escolha fica a critério de cada um. Em "anteontem", temos o elemento latino "ante", o mesmo de "antepenúltimo", "antediluviano", "antesala", "antegozar", "antebraço" etc. Esse prefixo não deve ser confundido com "anti", que vem do grego e se encontra, por exemplo, em "anti-reumático", "antiinflamatório", "antiinflacionário" etc. "Ante" indica idéia de anterioridade; "anti", de oposição.

**15**
**DIA INTERNACIONAL DA FAMÍLIA**

### Elo de ligação

Leia esta frase: "O elo de ligação entre pais e filhos é muito forte". O que significa "elo"? "Elo" pode significar "argola" e, figurativamente, "ligação, união". Então "elo de ligação" é um belíssimo caso de redundância, muito comum nos meios de comunicação. Basta dizer que algo funciona como elo, e não que funciona como "elo de ligação".

## De onde vem a palavra "gari"?

**16**
**DIA DO GARI**

Acredite se quiser: "gari" vem do sobrenome de Aleixo Gary, empresário que, no início do século passado, dirigiu a empresa responsável pela limpeza pública do Rio de Janeiro. Quem trabalhava na empresa Gary logo se transformou em gari. Esse processo é mais do que comum na nossa língua. Quer outro exemplo? Anote aí: que significa "gilete"? Nem preciso dizer que gilete é lâmina com a qual... Pois bem, "gilete" vem do nome da fábrica (Gillette). Agora pense em outros casos semelhantes. Você certamente se lembrará de vários. O nome disso? É metonímia.

## "Televisão" e "telepatia"

**17**
**DIA INTERNACIONAL DAS TELECOMUNICAÇÕES**

O "tele" de "televisão" tem relação com o de "telepatia", ou será apenas uma coincidência? Não é mera coincidência, não. Muita gente supõe (equivocadamente) que a palavra "televisão" signifique "visão na tela". O "tele" de "televisão" vem do grego e significa "ao longe", "distante". "Televisão" nada mais é do que "imagem, visão à distância". É bom lembrar que "televisão" é palavra híbrida, já que "visão" vem do latim. E "telepatia"? O elemento grego "patia" pode significar "estado passivo", "doença", "sofrimento", "aflição". Grosso modo, a telepatia é a capacidade de sentir à distância o que se passa com outra pessoa.

**18**
**DIA INTERNACIONAL DOS MUSEUS**



## O que é "hemeroteca"?

Sabemos todos que nos museus se guardam objetos de valor histórico, artístico etc. Num museu, podemos encontrar quadros, livros, roupas, jornais etc. Por falar em jornais, como se chama o lugar em que se guardam ou colecionam jornais e revistas? Anote aí: o nome é "hemeroteca", palavra que vem do grego e resulta de "hemero-" + "-teca". O elemento "hemero-" significa "um dia", "que tem a duração de um dia"; "-teca" significa "caixa", "estojo", "local em que se guarda". Parece desnecessário explicar a relação entre "hemero" e os jornais, que, como sabemos, não duram mais que um dia. A palavra "jornal", aliás, vem do latim, da mesma raiz de "jornada" ("trajeto que se percorre num dia"). Não é por acaso que em italiano "dia" é *giorno*, e em francês é *jour*.

**19**
**DIA EM QUE FOI CONSIDERADO ILEGAL O TRÁFEGO DE ESCRAVOS (1830)**

## Qualquer forma de escravidão é abominável

Em português, as palavras que terminam em "r" fazem o plural com o acréscimo de "es": bar/bares, mulher/mulheres, açúcar/açúcares, hambúrguer/ hambúrgueres etc. Será que isso vale também para "qualquer"? Não. O caso de "qualquer" é particular. Essa palavra é composta ("qual" + "quer") e seu plural ("quaisquer") leva em conta exatamente o processo de formação do vocábulo: o plural de "qual" é "quais"; "quer" é verbo e não tem plural. "Não leia livros quaisquer"; "Não ande com pessoas quaisquer".

**20**
**DIA OLÍMPICO (SP)**

## Como se lê a palavra "recorde"?

Se você prestar atenção, vai perceber que a palavra "recorde" é vítima de uma verdadeira salada. Nas emissoras de rádio e televisão, essa palavra é pronunciada de acordo com o gosto do freguês. Ora se ouve "récorde", ora "recórde". Pois bem. Os dicionários e o "Vocabulário Ortográfico da Língua Portuguesa" registram a palavra como paroxítona, o que significa que sua sílaba tônica é "cor", a penúltima. Portanto a pronúncia tida como recomendável é "recórde" (com o "o" aberto e tônico).

**21**
**DIA DA LÍNGUA NACIONAL**

## Coisas da língua, que nem sempre sabemos exatamente o que são. Um exemplo? O verbo "soer"

É bem provável que você já tenha ouvido ou lido a expressão "como sói acontecer" ("Ele chegou atrasado, como sói acontecer"). A construção é do registro culto da língua, e você precisa conhecê-la. "Sói" é a terceira pessoa do singular do presente do indicativo do verbo "soer". E o que significa "soer"? Vamos aos dicionários: "ser comum, freqüente; ocorrer geralmente; costumar". Então "sói" significa "é comum", "ocorre geralmente": "Ele chegou atrasado, como é comum/ freqüente acontecer" (ou "como geralmente acontece" ou "como costuma acontecer"). É possível empregar esse verbo com sujeito representado por pessoa: "Nos grandes apertos, ele sói ser o melhor conselheiro" (exemplo do "Hoauiss"). O verbo "soer" é defectivo, ou seja, não é conjugado em todas as formas. Faltam-lhe a primeira pessoa do singular do presente do indicativo e, conseqüentemente, todo o presente do subjuntivo. Nos demais tempos e modos, sua conjugação é completa.

**22**
**DIA DO APICULTOR**

## O plural de "mel"

O apicultor se ocupa das abelhas, que nos dão o mel. Pois bem, qual é o plural de "mel"? Esse substantivo tem dois plurais: "méis" e "meles". Pode-se dizer "meles variados" ou "méis variados". O substantivo "fel" é outro monossílabo tônico terminado em "el" que admite dois plurais: "féis" e "feles". É bom lembrar que o caso de "mel" e o de "fel" são excepcionais, já que as palavras oxítonas terminadas em "el" normalmente fazem o plural com a terminação "éis": "coronel/coronéis", "papel/papéis", "anel/anéis", "tonel/tonéis", "carretel/carretéis" etc.

**23**
**DIA NACIONAL DA ALEMANHA**

## Os adjetivos relativos à Alemanha

O povo da Alemanha é alemão, certo? É claro que sim, mas não é só esse o adjetivo relativo à Alemanha que nossos dicionários registram. A lista é grande: "teuto", "teutão", "teutônico", "germano", "germânico" etc. Convém lembrar que, nas formas compostas, o adjetivo "alemão" costuma ser trocado pela forma reduzida "teuto", que ocupa sempre o primeiro lugar do composto: acordo teuto-americano, conflito teuto-italiano, proposta teuto-brasileira etc. Nos compostos, "alemão" costuma aparecer como o segundo elemento: "acordo sino-alemão", "proposta luso-alemã", "conflito franco-alemão".

## De onde vem a palavra "vestibular"?

Por que se chama de "vestibular" o exame pelo qual devem passar as pessoas que desejam fazer um curso superior? A razão é muito simples: "vestibular" vem de "vestíbulo", termo típico da linguagem dos arquitetos. E que significa "vestíbulo"? Nada mais é do que "pátio ou pórtico exterior, de acesso à entrada principal de uma construção". Metaforicamente, o termo é usado para designar "aquilo que inevitavelmente antecede ou forçosamente leva a algo". Bem, como se vê, o vestibular é a passagem obrigatória de quem quer chegar à porta principal.

**24**
**DIA DO VESTIBULANDO**

## "Adoção" é o ato de...

É o ato de adotar, assim como "observação" é o de observar, "narração" é o de narrar, "transgressão" é o de transgredir, "correção" é o de corrigir etc. Vale a pena lembrar que o ato de conseguir é "consecução", o de conceber é "concepção", o de conceder é "concessão", o de interceder é "intercessão", o de ascender é "ascensão" e o de compreender é "compreensão". Como se vê, algumas dessas palavras terminam em "ssão" ou "são" e outras em "ção". É preciso, pois, tomar cuidado com a grafia. Na dúvida, vale a pena consultar um dicionário.

**25**
**DIA NACIONAL DA ADOÇÃO**

**26**
**DIA DO REVENDEDOR LOTÉRICO**



## A Mega Sena e o megassismo

Que será um "megassismo"? Bem, "sismo" todos sabem o que é, não? Quem é que nunca ouviu falar de "abalo sísmico"? Pois bem, um sismo é um teremoto; um megassismo é um superterremoto. O elemento grego "mega" (que significa "grande") deve ser unido sempre sem hífen, independentemente da letra com que se inicia a palavra agregada: "megaempresário", "megacaminhão", "megacefálico" etc. Se a palavra à qual se agrega o elemento "mega" começa com "r" ou com "s", dobram-se essas letras: "megarregião", "megarrebelião", "megassurra", "megassismo". E "Mega Sena"? Bem, a história é um pouco diferente, já que se trata de nome comercial. A forma padrão seria "Megassena", mas os detentores da marca devem ter preferido grafar a expressão de modo a preservar a palavra "Sena".

**27**
**DIA DO PROFISSIONAL LIBERAL**

## "A gente fez" ou "Nós fizemos"?

Profissional liberal é exemplo perfeito de "gente que faz". Por falar em "gente", é possível usar a expressão "a gente" no lugar do pronome "nós"? Quando se emprega a linguagem formal (numa tese, num relatório, num trabalho acadêmico, num texto jurídico), não cabe o emprego de "a gente" no lugar de "nós". Emprega-se "nós", pronome que muitas vezes fica subentendido na forma do verbo ("Fizemos"). Em linguagem informal, familiar, e até em certos textos menos formais, pode-se perfeitamente empregar "a gente", mas com o verbo na terceira pessoa ("A gente fez", e nunca "A gente fizemos").

## O plural de "gravidez"

Os dicionários dizem que "gravidez" é "o estado da fêmea e particularmente da mulher durante a gestação". Dizem também que "grávida" e "prenhe" são sinônimos, portanto "gravidez" e "prenhez" também o são. E como fica o plural de "gravidez"? Esse plural é feito como o de qualquer palavra terminada em "z": "luz/luzes", "raiz/raízes", "juiz/juízes", "prenhez/prenhezes", "gravidez/gravidezes". Uma mulher que tenha dado à luz duas vezes pode perfeitamente dizer que suas duas gravidezes foram tranqüilas.

**28**
**DIA MUNDIAL CONTRA A MORTALIDADE MATERNA**

## O que é "enclave"?

No dicionário de Caldas Aulete e em edições antigas do "Aurélio", não há registro de "enclave"; registra-se apenas a forma "encrave". No "Michaelis", nas edições mais recentes do "Aurélio", no "Houaiss" e no "Vocabulário Ortográfico da Língua Portuguesa", há registro de "enclave", que aparece como variante de "encrave". O que isso significa? Vamos lá: "Terreno ou território encravado em outro"; "rocha encravada em outra". Em tempo: os puristas consideram galicismo o emprego de "enclave". Que é galicismo? Vamos lá: "modo de falar ou escrever próprio da língua francesa".

**29**
**DIA DO GEÓGRAFO**

**30**
**DIA DO GEÓLOGO**

**MAIO**

## Os geólogos, o petróleo e os *cents*

Em "geologia", temos dois elementos gregos: "geo" (que significa "terra", em todos os sentidos) e "logia" ("ciência", "tratado"). Os dicionários definem "geologia" como "ciência que estuda a origem, história, vida e estrutura da Terra". Pois bem, um dos trabalhos dos geólogos está ligado à prospecção de petróleo. De fato, é imediata a associação entre os geólogos e essa atividade. E de onde vem a palavra "petróleo"? Ao pé da letra, esse vocábulo de origem latina significa "óleo de pedra". Como se sabe, o petróleo é chamado de "ouro negro"; seu preço é cotado em dólar nas bolsas de valores do mundo todo. No rádio e na televisão, muitos locutores informam o preço do barril de petróleo no mercado internacional com a palavra *cents* ("vinte e quatro dólares e quinze *cents*", por exemplo). Se dizem "dólares" (e não *dollars*, em inglês), por que dizem *cents*)? Sabe Deus. O fato é que deveriam dizer "centavos", palavra portuguesa que designa uma das cem unidades em que se divide a unidade monetária de muitos países. Em Portugal, é mais comum o emprego de *cêntimo*, forma adotada por lá para nomear a centésima parte do euro, nova moeda de Portugal e de todos os países da Comunidade Européia.

## O fumo, a fumaça e a língüiça

Você certamente já ouviu falar de lingüiça defumada. Que relação tem ela com o fumo? É simples: "defumar" significa "secar expondo à fumaça". O que é defumado resulta de defumação, que nada mais é do que o ato de defumar. O fato é que entre nós o verbo "fumar" está tão associado ao cigarro que nem sempre conseguimos relacionar as palavras "fumo", "fumaça" e "defumar". Agora, prepare-se: no Brasil, costuma-se defumar a lingüiça; em Portugal, no entanto, ela é fumada mesmo. Sim, em Portugal compra-se e serve-se lingüiça fumada. Moral da história: "fumar" e "defumar" podem ser sinônimos.

**31**
**DIA MUNDIAL DE COMBATE AO FUMO**

# JUNHO

**01**
**INÍCIO DO DIÁRIO DO RIO DE JANEIRO, O PRIMEIRO JORNAL DIÁRIO DO BRASIL (1821)**

## O que é *sic*?

Em textos jornalísticos, não é raro o emprego da palavra *sic*. Esse termo é latino e significa "assim", "desse modo", "exatamente assim", "assim mesmo". Posta entre parênteses, a expressão é usada pela imprensa depois de uma citação ou transcrição, para indicar que o original é assim mesmo, por mais que pareça estranho ou errado. Na verdade, acaba tendo tom irônico, sarcástico, pois torna clara a intenção do redator de chamar a atenção para um disparate que alguém disse ou escreveu.

## A Itália em nosso cardápio

**02**
**DIA DA COMUNIDADE ITALIANA**

Os italianos começaram a chegar ao Brasil no século XIX. Das muitas influências que nos legaram, destaca-se a alimentar. Não são poucos os brasileiros, das mais diversas origens, que não resistem a uma pizza ou a um belo prato de macarrão. O espaguete, por exemplo, é herança italiana. Por falar em "espaguete", de quantas formas você já viu grafada essa palavra? Certamente de muitas formas. Em português, a grafia padrão é "espaguete"; em italiano, grafa-se *spaghetti*. Agora vamos às particularidades: em português, "espaguete" é singular ("O espaguete estava ótimo"); em italiano, *spaghetti* é plural (*Gli spaghetti erano ottimi*). Plural de quê? De *spaghetto*, que é o diminutivo de *spago*, que significa... Sabe o quê? Prepare-se: "barbante". Ao pé da letra, *spaghetti* significa "barbantinhos". Quando você come espaguete, come "barbatinhos" – de massa alimentícia, é claro! A esta altura, é bom verificar a grafia portuguesa de outra iguaria italiana, a lasanha, que muita gente escreve com "z". É bom gravar: em português, escreve-se "lasanha", com "s". A forma italiana é *lasagna*.

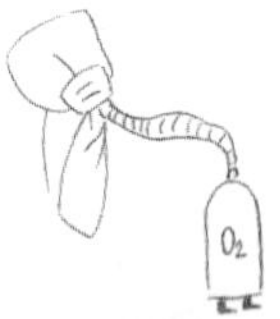

**03**
**ANIVERSÁRIO DA ECO 92**

## O "x" de "oxigênio"

O "x" em português não é flor que se cheire. Na hora de ler, o de "fixo" é diferente do de "exame", que é diferente do de "próximo", que é diferente do de "lixo". O de "tóxico", por exemplo, que muita gente pronuncia como o de "lixo", na verdade é igual ao de "fixo". Já o de "inexorável" (sinônimo de "implacável", "inabalável"), que muita gente pronuncia como o de "fixo", é igual ao de "exame". O de "máximo", segundo o "Vocabulário Ortográfico da Língua Portuguesa" e o "Houaiss", pode ser igual ao de "próximo" ou ao de "fixo". Quanto ao de "oxigênio", não há dúvida: só pode ser igual ao de "fixo".

**04**
**IMPRESSA A PRIMEIRA BÍBLIA NA AMÉRICA (1743)**

## O plural de "ave-maria"

Qual é a o plural de "ave-maria"? É "ave-marias" ou "aves-marias"? O elemento latino "ave" (que significa "Salve!") é uma interjeição, portanto invariável. O plural de "ave-maria" é "ave-marias": "Reze três ave-marias". Já que tratamos do plural de orações, não custa lembrar que o de "pai-nosso" pode ser "pai-nosso" ou "pais-nossos" ("Reze dois pai/s-nossos"). Essa oração também pode ser chamada de "padre-nosso", que também admite dois plurais: "padre-nossos" ou "padres-nossos".

## “Aerosol” ou “aerossol”?

**05**

**DIA MUNDIAL DO MEIO AMBIENTE**

Apesar de sempre se ouvir a forma “aerosol”, pronunciada como se houvesse um “z” (“aerozol”), nenhum dicionário registra essa palavra com apenas um “s”. Só se encontra o registro de “aerossol”, com “ss”. A palavra resulta da soma de “aero”, elemento presente em muitas palavras – vem do grego e significa “ar” –, com “sol”. E é exatamente para preservar a pronúncia da palavra “sol” que se dobra o “s”: “aerossol”.

## “Discrição” ou “discreção”?

**06**

**DIA DO PORTEIRO**

Que os porteiros sabem da vida de quase todos os moradores dos prédios em que trabalham, disso infelizmente ninguém duvida. Agora, um porteiro tem como melhor característica a “discrição” ou a “discreção”? Existem pessoas discretas, certo? É claro que existem, como também existem as indiscretas – chatíssimas. E as pessoas discretas possuem uma qualidade. Como se chama essa qualidade? Discreção? Não! Pessoas discretas, com “e”, agem com discrição, com “i”. É óbvio que isso também vale para indiscreto, com “e”, da qual se faz “indiscrição”, com “i”: “Não seja indiscreto. Mantenha a discrição”. E nada de confundir isso com “descrição”, que é o ato de descrever.

**07**
**DIA DA LIBERDADE DE IMPRENSA**

### "Cerca de 342 pessoas"

Viva a liberdade de imprensa! Viva a imprensa livre! Mas que essa liberdade não dê a ela o direito de publicar esquisitices, como esta: "Estavam na conferência cerca de 342 pessoas". A frase estava nas páginas de um dos mais importantes jornais do país. A expressão "cerca de" indica idéia de arredondamento, portanto não combina com número tão preciso (342). Faz sentido dizer "Cerca de 300 (ou qualquer número redondo) pessoas estavam na conferência". Quando se sabe o número exato, dispensa-se o "cerca de".

**08**
**DIA DO CITRICULTOR**

### "Avise o cliente do recorde na safra da laranja"

Qual é a forma correta: "Avise o cliente do recorde na safra" ou "Avise ao cliente o recorde na safra"? As duas. Os dicionários de regência dizem que a construção "avisar alguém de alguma coisa" é a originária, mas ressaltam que a forma "avisar alguma coisa a alguém" encontra largo registro. O que não se recomenda é algo como "avisar a alguém de alguma coisa" ("Avise aos clientes dos problemas com o elevador"), em que o verbo apresenta dois complementos introduzidos por preposição. Pode-se dizer "Avise os clientes dos problemas", de acordo com a sintaxe originária, ou "Avise aos clientes os problemas".

## "Companhia" ou "compania"?

Existe a forma "compania"? Não, essa forma não existe. A única grafia possível é "companhia". É interessante lembrar que esse vocábulo vem da antiga palavra "companha" ("grupo de pessoas que seguem juntas"), à qual se acrescenta o sufixo "ia". E de onde vêm "companha" e tantos outros membros da família ("companhia", "companheiro", "acompanhar", "acompanhante", "companherismo")? Todas nascem de *panis*, que vem do latim e significa "pão". Pois bem, para encurtar a conversa, "companha" vem do vocábulo latino "compania" (*cum*, equivalente ao nosso "com", + *panis*). Em latim, a palavra era usada com o sentido de "pessoas que comem juntas o pão". Daí o sentido evoluiu para "pessoas que vão ou seguem juntas". Moral da história: qualquer que seja o sentido ("acompanhamento", "presença", "grupo de pessoas", "sociedade comercial coletiva ou anônima", "empresa formada por sócios ou acionistas" etc), grafa-se "companhia", já que, ao fim e ao cabo, em todos esses casos a essência da palavra é a mesma.

**09**
**DIA DO PÃO**

**10**
**DIA DA LÍNGUA PORTUGUESA**

## O trema já morreu?

Muita gente imagina que o trema tenha morrido. Não, não e não! Na última reforma ortográfica, ocorrida em 1971, a Língua Portuguesa não perdeu o trema, que continua obrigatório quando o "u" é pronunciado atonamente nos grupos "que", "qui", "gue" e "gui", o que se verifica em "freqüente", "tranqüilo", "agüentar" e "pingüim", por exemplo. E o "u" de "extinguir"? Recebe trema? Não, por uma razão muito simples: esse "u" não é pronunciado. Lê-se a sílaba "guir" de "extinguir" exatamente como lê a de "perseguir", "conseguir". Isso também vale para "distinguir".

**11**
**NASCIMENTO DE JACQUES COUSTEAU (1910)**

## "Jacques Cousteau era cidadão e pesquisador exemplar"

Ou será que, no lugar de "exemplar", deve-se empregar a forma "exemplares"? O que temos aí é um caso bem particular do emprego de um adjetivo ("exemplar") para qualificar dois substantivos ("cidadão" e "pesquisador"). Que caso particular é esse? As duas palavras que o adjetivo "exemplar" qualifica se referem ao mesmo ser, já que o cidadão e o pesquisador são a mesma pessoa. Em casos como esse, o adjetivo deve ficar no singular: "Cousteau era cidadão e pesquisador exemplar"; "Gosto muito da obra de Caetano Veloso, cantor e compositor inspirado". No segundo caso, "inspirado" fica no singular, porque tanto "cantor" quanto "compositor" se referem ao mesmo ser (Caetano Veloso).

## "Namorar alguém" ou "namorar com alguém"?

**12**
**DIA DOS NAMORADOS**

O verbo "namorar" resulta da redução de "enamorar", por "aférese" (redução de fonema do início de um vocábulo). Originariamente, esse verbo é usado como transitivo direto, isto é, sem preposição ("namorar alguém" ou "namorar alguma coisa"), como se vê neste trecho de "Aquarela", de Murilo Mendes: "A montanha lavada inaugura toaletes novas/Para namorar o sol...". No entanto, no uso comum e mesmo no literário, já é fato consumado o uso de "namorar" com a preposição "com", considerado legítimo por muitos dicionaristas. A regência "namorar com" se explica pela influência de verbos do mesmo campo semântico (de significado), como "casar" e "noivar" ("casar" ou "casar-se com", "noivar com"). Quem prefere a sintaxe originária, recomendável no padrão escrito formal culto, deve preferir a construção "namorar alguém".

## "São" ou "Santo"?

**13**
**DIA DE SANTO ANTÔNIO**

Se o nome começa por vogal ou "h", usa-se "Santo": "Santo Antônio", "Santo Henrique", "Santo Hipólito", "Santo Estêvão". Se o nome começa por consoante, usa-se "São": "São Pedro", "São Cristóvão", "São Roque", "São João". A exceção fica por conta de "Santo Tirso". Há oscilação no uso de "São" e "Santo" em "São/Santo Tomás de Aquino".

**14**
**DIA DO PROFISSIONAL DE RELAÇÕES PÚBLICAS**



## "A idoneidade é fundamental para os profissionais de Relações Públicas"

Por que as terminações de "idoneidade" e "seriedade" são diferentes? Nesses dois substantivos abstratos existe a noção de "qualidade de" ("idoneidade" é a qualidade de idôneo; "seriedade" é a qualidade de sério). Os substantivos abstratos derivados de adjetivos terminados em "eo" apresentam a terminação "eidade": de "simultâneo", faz-se "simultaneidade"; de "espontâneo", faz-se "espontaneidade", "de idôneo", faz-se "idoneidade". Não se pode esquecer que de "contemporâneo" se faz "contemporaneidade" e que de "homogêneo" se faz "homogeneidade". Os substantivos abstratos derivados de adjetivos terminados em "io" apresentam a terminação "iedade": de "primário", faz-se "primariedade"; de "obrigatório", faz-se "obrigatoriedade"; de "sério", faz-se "seriedade". Convém lembrar que, na verdade, em todos os substantivos abstratos aqui citados ocorre o sufixo "-dade", que se ajusta à palavra primitiva de diferentes maneiras ("honesto/honestidade", "bom/bondade" etc.).

## "Experto" e "esperto"

15

**DIA DO PALEONTÓLOGO**

O paleontólogo nada mais é do que um indivíduo experto em paleontologia, ciência que estuda as formas de vida existentes em períodos geológicos passados. Epa! Experto em paleontologia? É "experto" mesmo, com "x"? Sim, com "x". "Experto" significa "especialista", "profundo conhecedor de determinado assunto". Pode-se dizer, por exemplo, que determinada pessoa é experta em música erudita. É bom lembrar que "experto" não vem do inglês, não; vem do latim, mesma fonte de onde vem a forma inglesa (*expert*). Quanto a "esperto" (com "s"), não se pode esquecer que, além do significado de "vivo", "atento", essa palavra tem o de "acordado", "desperto". Convém notar que "espertar" e "despertar" são sinônimos.

**16**

**DIA DO NASCIMENTO DE ALEXANDER GRAHAM BELL (1876)**



## "Esta é a trecentésima vez que ele me liga!"

Graham Bell é tido como o pai da telefonia. Santo telefone! Sem ele, o que seria de nós? Mas há pessoas que exageram (umas, nos telefonemas; outras, nos números). É meio difícil alguém realmente ligar trezentas vezes para determinada pessoa. Mas, supondo que isso ocorra e que a pessoa que recebeu as ligações queira usar o ordinal relativo a "trezentos", qual é o termo que deve ser empregado? Embora algumas gramáticas tragam o registro de "tricentésimo" e outras, de "trecentésimo", ambas as formas encontram abrigo no "Vocabulário Ortográfico da Língua Portuguesa" e nos principais dicionários (o de Caldas Aulete, o "Houaiss" e o "Aurélio", entre outros). Convém notar que "tricentésimo" e "trecentésimo" podem funcionar como fracionários ("a trecentésima/tricentésima parte de algo"). Aquele que, numa seqüência, ocupa a posição de número 350, por exemplo, ocupa a tricentésima (ou trecentésima) qüinquagésima posição.

**17**

**DIA MUNDIAL DE LUTA CONTRA A DESERTIFICAÇÃO E A SECA**

## Desertificar, desertar e deserdar

"Desertificação" é o ato de desertificar, que, por sua vez, significa "transformar em deserto". E quem abandona uma corporação? É desertor, ou seja, aquela que deserta, do verbo "desertar". E "deserdar"? É "privar da herança". Quem deserda o filho, por exemplo, priva-o da herança a que teria direito.

## O adjetivo relativo ao "cobre"

**18**
**DIA DO QUÍMICO**

"Cobre" vem do latim *cupru*. O adjetivo relativo a esse elemento químico é "cúprico". É bom lembrar que os símbolos dos elementos químicos têm estreita relação com a origem de seus nomes. O do cobre, por exemplo, é "Cu"; o do chumbo é "Pb". Não custa aproveitar a ocasião para lembrar que o adjetivo erudito relativo ao "ouro" é "áureo" e que o relativo à "prata" é "argênteo". O símbolo químico do ouro (*aurum*, em latim) é "Au"; o da prata (*argentum*, em latim) é "Ag". Em português, por sinal, existe a forma "argento", sinônimo de "prata".

## "Cinema" ou "Sinema"?

**19**
**DIA DO CINEMA BRASILEIRO**

É óbvio que, quando se quer ver um filme, vai-se ao cinema, com "c". Mas experimente procurar "sinema" no dicionário. Não vale procurar nos minidicionários. Achou? É claro que achou. "Sinema" é "parte da coluna das orquídeas, que representa os filetes dos estames (fios)". É formada de *syn*, que vem do grego e significa "junto, juntamente", e *nema*, que significa "fio". E de onde vem "cinema"? Vem da redução de "cinematógrafo", em que se destaca o elemento grego "cine", que indica idéia de movimento.

**20**
**DIA MUNDIAL DO REFUGIADO**

JUNHO

## O "j" e o "g" nas flexões de "fugir"

Por que "fujam" se escreve com "j", mas "fugimos" se escreve com "g"? Em português, não há verbos terminados em "jir", o que significa que "fugir", "agir", "dirigir", "fingir", "divergir", entre outros, são grafados com "g". Na conjugação desses verbos, a coisa muda. Na primeira pessoa do singular do presente do indicativo, o "g" precisa dar lugar ao "j" para que se mantenha o som que aquela letra tem no infinitivo: "fujo", "ajo", "dirijo", "finjo", "divirjo" etc. Se trocássemos o "j" dessas formas verbais por "g", teríamos "fugo", "ago", "dirigo" etc. Quando se passa da primeira pessoa do singular para a segunda (do presente do indicativo), morre a necessidade de trocar o "g" por "j": "tu foges", "ele foge", "eles fogem", "ele dirige", "nós dirigimos" etc. É bom lembrar que o presente do subjuntivo se baseia na primeira pessoa do singular do presente do indicativo. Assim, de "eu fujo" se faz "que eu fuja", "que tu fujas", "que ele fuja", "que nós fujamos" etc. De novo, é necessário trocar o "g" do infinitivo por "j". Em suma, basta lembrar que, no time dos verbos terminados em "gir", o "g" é titular e só vai para o banco de reservas quando sua presença acarretaria alteração fonética.

**O adjetivo relativo a "inverno" e o superlativo de "frio"**

Quando dizemos "temperatura de primavera", podemos trocar a expressão "de primavera" por "primaveril" ("temperatura primaveril"). E qual será o adjetivo relativo à expressão "de inverno"? Não há apenas um, não. Anote aí: "invernal", "hibernal", "hiemal", "hiberno", "hibernoso". Em vez de "dia de inverno", por exemplo, podemos dizer "dia hibernal", "dia invernal", "dia hiemal" etc. Bem, um dia hibernal certamente é um dia frio. E se for muito frio? Que se pode usar no lugar de "muito frio"? Caso se queira fazer a troca pura e simples de "muito frio" (forma analítica do superlativo de "frio") pela forma sintética correspondente, deve-se empregar "friíssimo" ("um dia friíssimo"). Caso se queira simplesmente uma palavra de sentido equivalente ao de "muito frio", podem-se usar os adjetivos "glacial", "gélido", "álgido", "algente" ("um dia gélido", "um dia álgido"). "Álgido" e "algente" não são palavras comuns no dia-a-dia, mas aparecem com freqüência em textos literários clássicos.

**21**
**INÍCIO DO INVERNO**

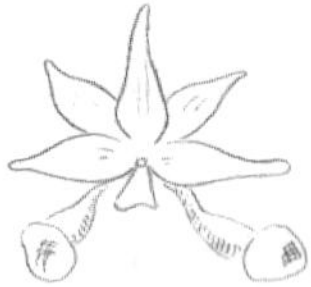

**22**
**DIA DO ORQUIDÓFILO**

## As orquídeas e os testículos

Responda já: como se chama a inflamação nos testículos? Eu ajudo (um pouco): o sufixo (grego) que designa doença inflamatória é "-ite", presente em "otite" (inflamação no ouvido), "nefrite" (nos rins), "estomatite" (na boca) etc. E a inflamação nos testículos? Vamos lá: é "orquite". Sim, "orquite". Será que... Sim, a orquite e a orquídea são farinha do mesmo saco. As duas palavras vêm de *órchis* (do grego), que significa "testículo". Bem, agora só resta lembrar que as orquidáceas têm duas raízes tuberosas, que lembram testículos... Quem diria, não?

**23**
**DIA DO ATLETA BRASILEIRO**

## Os atletas que superam tudo

Há muitos atletas que não se cansam de superar metas. Se superam, são super... Como se escreve: "superatletas" ou "super-atletas"? Acertou quem respondeu a primeira. O prefixo latino "super" só se agrega com hífen a palavras iniciadas por "h" e "r", como "super-homem", "super-herói", "super-resfriado" ou "super-rápido". No caso de "superatleta", portanto, não há hífen, como também não há hífen em "superdotado", "superentendido", "superinteressante", "supermãe", "superpai" etc.

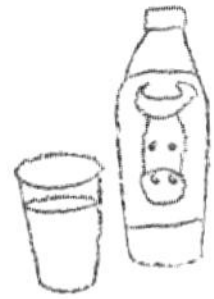

**24**
**DIA INTERNACIONAL DO LEITE**

**"Quem não chora não mama!"**

Há vírgula na frase acima, entre "chora" e "não"? A questão é delicada. Teoricamente, não há vírgula, ou não há necessidade de vírgula. Por quê? Porque o sujeito de "não mama" é "quem não chora", e entre sujeito e verbo não ocorre vírgula, por uma razão muito simples: não há o que fazer com a vírgula entre dois termos que têm relação sintática direta. Não se justifica a vírgula, por exemplo, de "Ela, foi ao cinema" ou de "O Brasil, precisa melhorar a distribuição de renda". No primeiro caso, "ela" é sujeito de "foi"; no segundo, "o Brasil" é o sujeito de "precisa melhorar". Em "Quem não chora não mama", no entanto, há uma particularidade: os verbos das duas orações são praticamente contíguos, vizinhos. Em casos como esse, a vírgula pode ser usada por uma simples questão de clareza. É o que ocorre, por exemplo, em frases como "Quem ama, educa" ou "Quem lê, sabe", em que a vírgula não é obrigatória, mas é possível.

**25**

**DIA DO IMIGRANTE**

### "Imigrante", "emigrante" e "migrante"

Todos sabem que o Brasil é um país de imigrantes. Por quê? Porque para cá vieram pessoas de muitos lugares do planeta. Ao entrarem aqui, esses estrangeiros são "imigrantes", mas, ao saírem de seus países, são "emigrantes". E nas duas situações são "migrantes". Entendeu? Vamos lá: é migrante qualquer pessoa que migra, ou seja, que se desloca, que muda de lugar. Quando sai, é emigrante; quando entra, é imigrante. Assim, para nós, os italianos que aqui chegaram são imigrantes; em relação à Itália, são considerados emigrantes.

**26**

**NASCIMENTO DE JOÃO GUIMARÃES ROSA (1908)**

### "Rosiano" ou "roseano"?

Alguns escritores, artistas, religiosos, teóricos etc. são tão importantes que de seus nomes acabam se formando adjetivos, que obviamente se referem ao que é típico da obra, doutrina ou estilo deles. O genial Guimarães Rosa é um desses escritores, assim como Nelson Rodrigues, Fernando Pessoa, Machado de Assis etc. De Machado, por exemplo, temos o adjetivo "machadiano"; de Fernando Pessoa, temos "pessoano". E de Guimarães Rosa? O que temos; "rosiano" ou "roseano"? Temos "rosiano", assim como de Nelson Rodrigues temos "rodriguiano" e de Santo Agostinho temos "agostiniano". Isso também vale para os adjetivos relativos a "Cabo Verde" e a "Açores" ("cabo-verdiano" e "açoriano", respectivamente).

## O diábetico, a insulina e as cidades insulares

Há pouco tempo, num famoso programa de televisão, perguntou-se o que é uma cidade "insular". É simplesmente uma cidade que fica em uma ilha. A bela São Luís (capital do Maranhão), por exemplo, é insular. A não menos bela Florianópolis (capital de Santa Catarina) é um caso interessante: a maior parte de seu território fica numa ilha, mas uma parte dele fica no continente. Florianópolis é quase toda insular. A palavra "insular" vem do latim, da mesma raiz (*insula*) que nos deu os vocábulos "ilha" ou "península". Este, por sinal, apresenta o elemento latino "pene-", que significa "quase" (como se sabe, uma península é quase uma ilha). Bem, e que relação tem a cidade insular com os diabéticos? É simples: a insulina (diretamente ligada à causa do diabetes) é produzida em regiões do pâncreas denominadas "ilhotas de Langherans". A forma "insulina" vem do francês *insuline*, da mesma raiz latina de "ilha". Como se sabe, o francês é uma das línguas neolatinas.

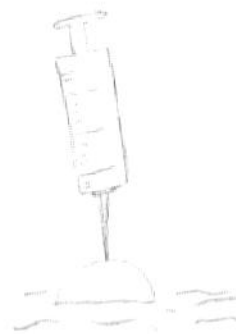

**27**
**DIA NACIONAL DO DIABÉTICO**

**28**

**DIA DO ORGULHO GAY E DA CONSCIÊNCIA HOMOSSEXUAL**



## A formação da palavra "homossexual"

Muita gente julga, indevidamente, que a palavra "homossexual" tenha alguma relação com "homem". Para essas pessoas, o "homo" de "homossexual" significa "homem"; para elas, "homossexual" é o homem que mantém relação sexual com homens. Não é isso, não. O *homo* de "homossexual" é exatamente o mesmo de "homogêneo", "homônimo", "homófono" etc. Esse elemento vem do grego e significa "igual", "semelhante". Ao pé da letra, "homossexual" significa "mesmo sexo". É "homossexual" a pessoa que se relaciona amorosa ou sexualmente com alguém que seja do mesmo sexo. Como se vê, a homossexualidade não é exclusiva dos homens. É bom lembrar que o oposto de "homossexual" é "heterossexual". *Hetero*, que também vem do grego, significa "diferente", "outro". É heterossexual quem se relaciona amorosa ou sexualmente com alguém que não seja do mesmo sexo.

**29**
**DIA DE SÃO PEDRO**

## Justamente nesta data se comemora o "Dia do Pescador"

São Pedro é o santo dos pescadores, por isso é justamente na data do santo que se comemora o "Dia do Pescador". Por falar em "justamente", muita gente julga que esse advérbio não pode ser empregado com o sentido de "exatamente", "precisamente". Essas pessoas crêem que só seja possível usar "justamente" quando se indica idéia de coisa feita com justiça. Essa "tese" não tem nenhum fundamento. Além de equivaler às expressões "de modo justo" e "com justiça", como se vê em "Sempre tenta agir justamente", por exemplo, o advérbio "justamente" pode equivaler a "exatamente", "precisamente". Basta lembrar que todos os dicionários dizem que "justo" pode ser sinônimo de "exato", "preciso". É óbvio, pois, que "justamente" pode ser sinônimo de "exatamente", "precisamente". Convém registrar que, diferentemente do que se vê nos nossos dicionários editados atualmente, que registram poucos advérbios terminados em "-mente", o "Dicionário da Língua Portuguesa Contemporânea", da Academia das Ciências de Lisboa, dá vários deles. Em "justamente" (página 2201), essa obra portuguesa, de 2001, diz isto: "Com exatidão, rigor ou precisão; de modo exato, rigoroso ou preciso; exatamente, precisamente". É bom lembrar que o dicionário de Caldas Aulete, editado até a década de 60, registrava vários advérbios terminados em "-mente". Aulete dava "exatamente" como um dos sinônimos de "justamente".

**30**

**DIA DO CAMINHONEIRO**

## "O caminhoneiro tinha chegado de viagem"

Ou será que o caminhoneiro tinha "chego" de viagem? De início, é bom dizer que o verbo "chegar" só tem uma forma de particípio: "chegado". Portanto deve-se dizer "O caminhoneiro tinha chegado", "Eu tinha chegado" etc. Como se explica o uso (incorreto, é bom repetir) de "Ele tinha chego"? De onde vem essa forma? Vamos lá. Há verbos que têm duas formas de particípio, uma das quais é igual à primeira pessoa do singular do presente do indicativo. É o caso de "salvar" ("salvado" e "salvo"), "expulsar" ("expulsado" e "expulso"), "aceitar" ("aceitado" e "aceito") etc. Os particípios "salvo", "expulso" e "aceito" são iguais à primeira pessoa do singular do presente do indicativo dos verbos "salvar", "expulsar" e "aceitar", respectivamente. Seguindo esse modelo, o falante acaba chegando a "chego", forma de particípio que – é bom repetir – não encontra registro na língua padrão. Moral da história: o caminhoneiro tinha chegado.

# JULHO

**01**
**DIA DO HOSPITAL**

## A flexão de "médico-hospitalar"

Como se faz a flexão de "médico-hospitalar"? De início é preciso lembrar que "médico-hospitalar" é adjetivo composto formado por dois adjetivos ("médico" e "hospitalar"). Em "custo médico-hospitalar", por exemplo, tanto "médico" quanto "hospitalar" qualificam "custo". Basta aplicar a regra que vale para todos os adjetivos compostos formados por dois adjetivos. Lembra como é? Só se flexiona o segundo elemento, seja quanto ao gênero (masculino/feminino), seja quanto ao número (singular/plural). Moral da história: "despesa médico-hospitalar", "despesas médico-hospitalares", "custos médico-hospitalares".

**02**
**DIA DA INDEPENDÊNCIA DA BAHIA**

## "Baiano" ou "bahiano"?

Em 1943, houve uma reforma ortográfica que, entre outras alterações, eliminou a letra "h" de uma série de palavras. Por se tratar de nome próprio e para preservar a tradição, foi mantido o "h" no nome da maravilhosa "Bahia". O adjetivo, que não é nome próprio, não goza do mesmo benefício e segue o que é padrão para as demais palavras da língua. Quem nasce na Bahia, portanto, é "baiano", sem "h". Situação semelhante ocorre com o adjetivo relativo ao Corinthians, popular equipe de futebol. O adjetivo é "corintiano", sem "h".

## "O Tratado interessa àqueles que defendem a preservação da Amazônia"

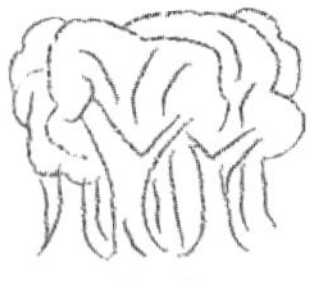

**03**
**DIA DO TRATADO DE COOPERAÇÃO AMAZÔNICA**

É possível ocorrer acento indicador de crase no "a" inicial da palavra "aquele"? "Não se trata de palavra masculina?", perguntariam alguns. É perfeitamente possível, sim. O que ocorre nesse caso é a fusão da preposição "a" com a letra "a" inicial da palavra "aquele". Quando se diz "O livro pertence àquele rapaz", ocorre fusão da preposição "a" (uma coisa pertence a alguém) com o "a" inicial da palavra "aquele". Em "O Tratado interessa àqueles que...", ocorre a fusão da preposição "a", regida pelo verbo "interessar" (uma coisa interessa a alguém) com a letra "a" inicial do pronome "aquele". Isso é possível com "aquele", "aqueles", "aquela", "aquelas" e "aquilo". Não é possível com "alguém", "ali", "algum", "alguma" etc.

## Os Estados Unidos e a concordância

**04**
**DIA DA INDEPENDÊNCIA DOS ESTADOS UNIDOS**

"Os Estados Unidos invadiram" ou "Os Estados Unidos invadiu"? Nesse caso, a concordância se faz com a forma, e não com a idéia. Apesar de designar um só país, a expressão "Estados Unidos" está no plural e sempre é precedida de artigo no plural, por isso o verbo no plural é obrigatório: "Os Estados Unidos invadiram o Iraque"; "Os Estados Unidos querem destruir o mundo". Com Minas Gerais e Alagoas, Estados brasileiros, a concordância depende da presença do artigo, que é optativo. Com o artigo, o verbo vai para o plural: "As Minas Gerais produzem ótimos poetas"; "As Alagoas têm praias lindas". Sem o artigo, o verbo fica no singular: "Minas Gerais produz ótimos poetas"; "Alagoas tem praias lindas".

**05**
**FUNDAÇÃO DE GOIÂNIA**

## Goiânia é a capital de Goiás

Os goianos são os brasileiros que nascem em Goiás. O nome desse importante Estado brasileiro é um dos que se usam sem artigo definido. É bom que se diga que não há uniformidade quanto ao emprego do artigo antes dos nomes dos Estados brasileiros. Boa parte deles é precedida de artigo, o que ocorre com o Paraná, a Bahia, o Acre, o Amazonas, o Piauí, o Maranhão, o Pará, o Rio Grande do Sul, o Rio Grande do Norte etc. Alguns são empregados sem artigo: Santa Catarina, São Paulo, Sergipe, Rondônia, Goiás etc. No caso de Mato Grosso e de Mato Grosso do Sul, tem havido certa oscilação no uso do artigo, mas é preciso levar em conta um fator importante: o nome oficial do Estado. Anote aí: “Estado de Mato Grosso” e “Estado de Mato Grosso do Sul”.

## O que significa "IBGE"?

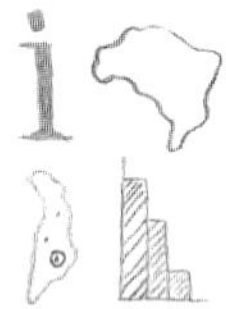

**06**
**DIA DA CRIAÇÃO DO IBGE (1934)**

O Brasil é campeão de siglas, não? Você tem idéia de quantas siglas fazem parte do seu dia-a-dia? Sabe o significado de pelo menos algumas elas? IBGE, por exemplo, que significa? Vamos lá: é a sigla de "Instituto Brasileiro de Geografia e Estatística". Pouco conhecidas são as siglas de origem estrangeira, que, na verdade, muitos nem sabem que são siglas. Bom exemplo disso é "UHT", que se vê nas caixinhas de leite longa vida. Sabe o que é "UHT"? Anote aí: *Ultra High Temperature*, ou seja, temperatura ultra-alta. Antes de ser posto nas caixinhas, o leite é esterilizado a mais de 140 graus e, depois, rapidamente resfriado, o que o torna estéril, ou seja, livre de germes, asséptico. É bom diferenciar "sigla" de "acrônimo", que é "palavra formada pela primeira letra, ou mais de uma, de cada uma das partes de uma locução ou pela maioria dessas partes", na definição do "Aurélio".

## O verbo "polir"

07

DIA DAS PANELEIRAS

Panelas muitas vezes precisam de polimento. E como se conjuga o verbo "polir"? Esse verbo tem conjugação completa. No presente do indicativo, quatro flexões trocam o "o" do radical por "u": "eu pulo, tu pules, ele pule, nós polimos, vós polis, eles pulem". No presente do subjuntivo, cuja base é a primeira pessoa do singular do presente do indicativo, o "u" aparece em todas as flexões: "que eu pula, que tu pulas, que ele pula, que nós pulamos, que vós pulais, que eles pulam". Nos demais tempos, o verbo "polir" é regular: "eu polia", "nós políamos", "eles poliam", "eu poli", "ele poliu", "eles poliram", "ele polirá", "se eu polisse" etc. Que ninguém nos ouça: eta verbinho danado de feio, não?

JULHO

## Uma mulher avarenta é "pão-duro" ou "pão-dura"?

08

DIA DO PANIFICADOR

Panificadores fazem pães. Sabemos todos que os pães não se mantêm frescos a vida inteira; depois de um certo tempo, endurecem. Muita gente prefere comêlos assim a gastar dinheiro para comprar pão fresco, por isso... Bem, você já sabe por que um ser avarento é chamado de "pão-duro" (com hífen, por se tratar de um composto, decorrente da perda do sentido individual dos elementos formadores e do conseqüente surgimento de uma unidade semântica). Pois bem, há algum tempo, um jornal atribuiu a uma "socialite" carioca o qualificativo "pão-dura". Será? Uma mulher avarenta é mesmo "pão-dura"? Não é, não. Duro é o pão. Uma mulher sovina é mesmo "pão-duro", palavra composta que não sofre flexão de gênero.

## "Eu sou de menor" ou "Eu sou menor"?

09

**DIA DA JUVENTUDE**

São muito comuns construções como "Eu ainda sou de menor", "Ela era de menor" etc. Alguns dicionários registram a expressão "de menor" como integrante da linguagem informal. Em se tratando do registro formal, é melhor evitá-la e optar simplesmente por "menor": "Eu ainda sou menor", "Ela era menor". É óbvio que isso também vale para "maior": "Ela já é maior". Por falar em "maior" e "menor", é bom saber que os dicionários dão como equivalentes as expressões "a maior" e "a mais" em casos como "Dinheiro a maior", "Dinheiro a mais", ou "Valor a maior", "Valor a mais", que também se estende para "a menos" e "a menor".

## Pizza de mozzarella de búfala

10

**DIA DA PIZZA**

Presente em muitos cardápios, a expressão "*mozzarella* de búfala" tem despertado a curiosidade de muitas pessoas. É preciso lembrar, em primeiro lugar, que a palavra italiana *mozzarella* tem duas grafias possíveis quando traduzida para o português: pode-se escrever "mozarela" (com "o", "z" e um só "l") ou muçarela (com "u", "ç" e um "l" só). A forma "mussarela" (com "ss") não é registrada pelo "Vocabulário Ortográfico da Língua Portuguesa". Evidentemente, deve-se usar a forma feminina "búfala", já que búfalo não dá leite. Aliás, a própria definição de "mozarela" já inclui a palavra búfala ("queijo napolitano de leite de búfala ou de vaca"). A mozarela nobre é a de leite de búfala, por isso quem inclui a expressão "mozarela de búfala" nos cardápios certamente tem como objetivo enfatizar a qualidade do produto.

**11**
**DIA MUNDIAL DA POPULAÇÃO**

## A China e seus pequineses

A China é o país mais populoso do mundo. Mais de um bilhão de pessoas vivem lá. A capital desse importante país oriental é Pequim. Pois bem, qual é o adjetivo relativo a Pequim? É "pequinês". Exatamente por isso, aquele adorável cãozinho se chama "pequinês". Esse cão é oriundo da China. Por falar em "pequinês", é bom não confundir essa palavra com "pequenez", que nada mais é do que a qualidade possuída por quem é pequeno. Pode-se, portanto, falar em "pequenez d'alma". É bom saber que vários dicionários registram a forma paralela "pequeneza". Por isso também se pode falar em "pequeneza d'alma".

**12**
**DIA DO ENGENHEIRO FLORESTAL**

## "Essa região tem menos árvores"

Apesar de muito comum no registro oral, a forma "menas" não encontra registro em nenhum dicionário. O "Houaiss" diz que, "no Brasil, na linguagem coloquial desescolarizada, ocorre a forma deturpada menas". "Menos" é palavra invariável, ou seja, vale para o singular ou para o plural, para o masculino ou para o feminino. Um engenheiro florestal, portanto, deve dizer que determinada região tem menos árvores do que outra (e nunca "menas"). Quem faz dieta para emagrecer deve ingerir menos açúcar, menos batatas fritas, menos alimentos gordurosos, menos carnes vermelhas.

### "Meu filho é aficionado dos Rolling Stones" ou "aficcionado dos Rollings Stones"?

13
**DIA MUNDIAL DO ROCK**

Este é um daqueles casos que certamente fariam muita gente perder dinheiro. Quem é que não apostaria todas as suas fichas em "aficcionado"? Afinal, é assim que quase todos pronunciam essa palavra, não? De origem espanhola, a grafia oficial é "aficionado", com apenas um "c". Significa "afeiçoado", "propenso a alguma coisa", "entusiasta", "simpatizante": "Os aficionados das corridas de automóveis"; "Os aficionados dos Rollings Stones".

### Cada um pensa e age como lhe convém

14
**DIA DA LIBERDADE DE PENSAMENTO**

Que palavra se usaria no lugar da expressão "foi conveniente" numa frase como esta: "Eu disse aquilo porque me foi conveniente"? Assim como "pedinte" é o que pede, "caminhante" é o que caminha e "rastejante" é o que rasteja, "conveniente" é o que convém. E a que verbo pertence a forma "convém"? Ao verbo "convir", que se conjuga como "vir", do qual deriva. No exemplo dado, a forma verbal "foi" (do verbo "ser") está no pretérito perfeito do indicativo, em sintonia com "disse", que também é do perfeito, por isso a forma de "convir" que substituirá a expressão "foi conveniente" também deverá ser do pretérito perfeito. Pois bem, nesse tempo, a terceira pessoa do singular do verbo "vir" é "veio", conseqüentemente a de "convir" é "conveio": "Eu disse aquilo porque me conveio." E se trocarmos "eu disse" por "eu dizia"? É só conjugar "convir" no mesmo tempo de "dizia": "Eu dizia aquilo porque me convinha."

**15**
**DIA INTERNACIONAL DO HOMEM**

## Qual é o plural de júnior?

Antes de ser chamado de homem propriamente dito, um ser do sexo masculino é bebê, criança, menino, moço ou rapaz etc. Nos times de futebol, a coisa não é muito diferente. Primeiro é preciso participar do dente-de-leite. Vencida essa fase, vai-se para o infantil, o júnior etc. Por falar em "júnior", qual é o plural dessa palavra? Antes da resposta, talvez seja bom lembrar que, diferentemente do que muitas pessoas pensam, "júnior" não vem do inglês; vem do latim (e significa "mais jovem"). E então? Qual é mesmo o plural de "júnior"? É feito como o de qualquer palavra portuguesa ou aportuguesada que termine em "r": com o acréscimo de "es". Assim como o plural de "mulher" é "mulheres", o de "açúcar" é "açúcares" e o de "hambúrguer" é "hambúrgueres", o plural de "júnior" é... É "juniores", com alteração da vogal tônica, que deixa de ser o "u" e passa a ser o "o". Lê-se "juniôres", com força no "o" (que tem timbre fechado): "A seleção de juniores disputa hoje...".

## "Minas Geraes"

**16**
**DIA DO ESTADO DE MINAS**

Na década de 70, o cantor e compositor Milton Nascimento (carioca de nascimento e mineiro de coração) lançou um disco chamado "Minas". Um menino (cujo nome era Rúbio) "descobriu" que o "Mi" de Milton e o "nas" de "Nascimento" formam a palavra "Minas". Muito bom, não? É claro que as pessoas acabaram associando o termo "Minas" a Minas Gerais. Pois bem, sabe como se chamou o disco do ano seguinte? Chamou-se "Geraes", com "e" mesmo. E por que com "e"? Porque essa era a grafia vigente até a reforma ortográfica de 1943. Até então, o plural de palavras terminadas em "al" (como "geral") era feito com a troca do "l" por "es": fundamental/fundamentaes, jornal/jornaes, especial/especiaes, igual/iguaes, normal/normaes, e assim por diante. Ao optar pela forma antiga ("Geraes"), Milton quis dar um toque de nostalgia, de volta às tradições.

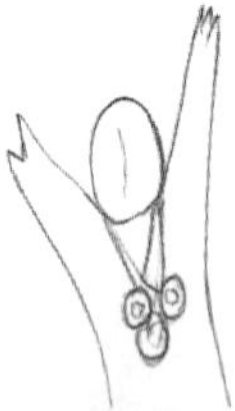

**17**
**DIA DA CONQUISTA DO TETRA-CAMPEONATO DE FUTEBOL (1994)**

## Bicampeão, tricampeão, tetracampeão etc.

Um leitor me perguntou se é correto o uso dos termos "tricampeão", "tetracampeão" etc. para os vencedores de campeonatos de anos que não são consecutivos. A questão é delicada. O dicionário de Aurélio Buarque e o de Caldas Aulete dizem que "tricampeão", por exemplo, é quem ganha pela terceira vez. Já o "Michaelis" diz que é quem ganha pela terceira vez consecutiva. O "Houaiss" diz que "tricampeão" é quem ganha pela terceira vez (sem fazer referência ao fato de as conquistas terem de ser consecutivas), mas em seguida abre um item à parte para informar que "não raro, emprega-se a designação tricampeão também quando as três vezes não são consecutivas". O mesmo dicionário diz que "tetracampeão" é aquele que ganha quatro vezes consecutivas. Desta vez, não há referência à consecutividade das conquistas. Como se vê, nem os dicionários se entendem em relação a essa questão. O fato é que o uso já consagrou essas formas com o seu significado literal (tricampeão = três vezes campeão; tetracampeão = quatro vezes campeão), ou seja, sem a necessidade de as conquistas serem consecutivas.

## "A trova não pode ser ruim!"

**18**
**DIA NACIONAL DO TROVADOR**

Diz o "Houaiss" sobre "trovador": "Na Idade Média, aquele que compunha e, por vezes, cantava composições poéticas, especialmente líricas". Pois bem, como qualquer cantor, o trovador não podia desafinar, nem no canto em si, nem na pronúncia de certas palavras. E, por falar em pronúncia, como se lê a palavra "ruim"? Qual é a vogal tônica dessa palavra? Apesar de no dia-a-dia ser muito comum a emissão dessa palavra com intensidade no "u" ("rúim"), a leitura considerada correta é "ruím", ou seja, a vogal tônica é o "i" (a palavra é oxítona). A separação silábica de "ruim" é "ru-im". Nossa língua registra poucos vocábulos terminados em "uim". Um deles é "cauim" (nome de uma bebida preparada pelos índios). A pronúncia é "cauím", e a separação silábica é "cau-im". Essa palavra também é oxítona.

19
DIA
DA CARIDADE

JULHO

## Quem pratica a caridade é...

As pessoas que agem com bondade são bondosas, as que sentem saudade são saudosas, as que praticam a caridade são caridosas. Nessas três palavras ("bondosas", "saudosas" e "caridosas") temos o sufixo "-oso" (na flexão "-osas"), que indica a idéia de abundância. Um dia chuvoso, por exemplo, é um dia cheio de chuva, assim como um lugar perigoso é cheio de perigo, e um prato saboroso é cheio de sabor. "Chuvoso" resulta de "chuva" + "-oso", "perigoso", de "perigo" + "-oso", e "saboroso", de "sabor" + "-oso". E bondoso? De "bondade" + "-oso", não? Mas o resultado disso é "bondadoso", assim como o de "saudade" + "-oso" é "saudadoso", e o de "caridade" + "-oso" é "caridadoso". Como ficamos? Quem age com bondade é "bondoso" ou "bondadoso"? Até pode ser "bondadoso", termo que os dicionários registram, mas que as pessoas não usam. O que se usa mesmo é "bondoso", "saudoso", "caridoso". Nesses casos, ocorre um processo chamado de "haplologia". Que é isso? É simplesmente a eliminação de uma de duas sílabas iguais ou semelhantes do interior de um vocábulo. Quem pratica a caridade pode ser "caridadoso" ou "caridoso", mas, sem dúvida, a última é a forma mais usada.

## "Brigar com amigo é perda de tempo"

**20**
**DIA INTERNACIONAL DA AMIZADE**

É "perda" mesmo? Ou seria "perca"? É provável que você já tenha ouvido as duas formas. Qual é a correta? Ou as duas são boas? Não confunda. "Perca" é forma verbal, do imperativo e do subjuntivo: "Não perca mais tempo"; "Espero que você não perca mais a paciência". "Perda" é substantivo; indica ato ou efeito de perder: "Foram significativas as perdas dos agricultores"; "Não faça isso. É perda de tempo". O dicionário de Aurélio Buarque, o de Caldas Aulete e o "Houaiss" registram "perca" como substantivo, equivalente a "perda", mas dizem que se trata de forma popular. Por conseguinte, não convém usá-la em situações formais.

**21**
**DIA DA CONQUISTA DA LUA (1969)**

## O habitante da Lua

O homem já foi à Lua, mas não encontrou ninguém por lá. Até prova em contrário, a Lua não tem habitantes, mas existe, sim, um termo empregado para designar o hipotético morador do nosso satélite. Esse vocábulo é "selenita", de origem grega, que corresponde a "lunar", de origem latina. Os dicionários realmente registram a palavra "selenita" e lhe dão, entre outros, o sentido de "hipotético habitante da Lua".

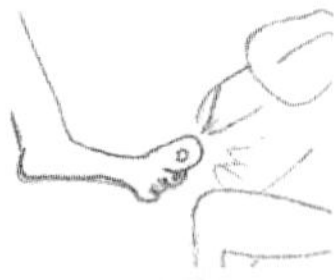

**22**
**DIA NACIONAL DO PODÓLOGO**

## O podólogo lixou os calos, tirou as cutículas, fez massagem, etc.

"Etc." é abreviatura de "et cetera", expressão latina que significa "e as demais coisas". Exatamente porque a expressão contém o "e" ("et", em latim), alguns autores respeitáveis entendem que não se deve empregar a vírgula, como não se emprega antes de "e" nas enumerações: "Ele cuidou dos calos, joanetes etc.". Outros autores, porém, entendem que se deve proceder como se o "etc." fosse um elemento da enumeração: "Comprei alho, ovos, etc." E agora? Há razões para ambos os lados. A decisão fica por sua conta.

**23**
**DIA DO PATRULHEIRO RODOVIÁRIO**

## O radar eletrônico

São muito comuns placas em que se lê esta mensagem: "Velocidade controlada por radar eletrônico". Existe radar que não seja eletrônico? A palavra "radar" vem das iniciais inglesas de *radio detecting and ranging*, ou seja, algo como "detecção e alcance por rádio". A julgar pelo significado literal da expressão, há redundância em "radar eletrônico". Basta dizer "Velocidade controlada por radar".

## Como se lê a palavra "néon"?

**24**
**DIA DA ILUMINAÇÃO ELÉTRICA NO BRASIL (1883)**

Existem palavras cuja pronúncia recomendada por alguns dicionários e gramáticas não pega de jeito nenhum. E "néon" é uma delas. Percebeu que há um acento agudo no "e"? Segundo alguns dicionários, sobretudo nas edições mais antigas, essa palavra é paroxítona. E as paroxítonas terminadas em "n" são acentuadas. Mas a pronuncia que se ouve é "neôn", oxítona, com o "o" fechado. Algumas edições recentes de dicionários ("Michaelis", "Novo Aurélio", "Houaiss") registram duas grafias e, conseqüentemente, as duas pronúncias: néon (paroxítona) e neon (oxítona). Já é um avanço.

## "...que Deus lhe deu a ela"

**25**
**DIA DO ESCRITOR**

"...estava pensando naquele corpo que Deus lhe deu a ela". A passagem é de um de nossos maiores escritores, mestre Machado de Assis. Como se explica o uso (que a muitos parece redundante) de "lhe" e "a ela". O que temos aí é o uso enfático de duas formas equivalentes ("lhe" e "a ela"). Machado poderia ter escrito "...corpo que Deus lhe deu" ou "...corpo que Deus deu a ela". Com a opção que fez, o escritor enfatiza o ser que as duas formas pronominais representam. O mesmo efeito que se consegue com "lhe"/"a ela" se vê em "me"/"a mim", "te"/"a ti", "nos"/"a nós" etc. Esse recurso tem larga tradição na língua, e vai do barroco à música popular. Em "Ela É Carioca" (de Tom Jobim e Vinicius de Moraes), encontra-se o mesmo processo no trecho "Ela é meu amor, só me vê a mim..." ("me" = "a mim").

**26**
**DIA DA VOVÓ**

## As avós, os avós e os avôs

Quando dizemos "os avós", "meus avós", normalmente nos referimos ao conjunto formado por quatro pessoas: o avô paterno, o avô materno, a avó paterna e a avó materna. Apesar de os dicionários dizerem que o plural de "avô" pode ser "avôs" ou "avós", normalmente só usamos "avôs" quando nos referimos ao par masculino, formado pelo avô paterno e pelo avô materno. Quando nos referimos aos quatro, é muito mais comum a forma "avós": "Meus avós são europeus"; "Os avós dela são argentinos". A expressão "as avós" obviamente se refere ao par feminino, formado pela avó paterna e pela avó materna.

**27**
**DIA NACIONAL DE PREVENÇÃO DOS ACIDENTES DE TRABALHO**

## Prevenir e remediar

O que significa "prevenção"? Trata-se do "ato ou efeito de prevenir". E quem não previne... Como é mesmo o ditado? Bem, na verdade o ditado é um pouco diferente. Salvo engano, é assim: "É melhor prevenir do que remediar". Vamos mudá-lo um pouco: "Quem não previne reme...". E então, como é? Prepare-se: "Quem não previne remedeia". Sim, "remedeia"! "Remediar" é um dos poucos verbos terminados em "iar" que não apresentam conjugação regular. Anote aí: M(ediar)A(nsiar)R(emediar)I(ncendiar)O(diar). Percebeu? Nosso amigo "MARIO" está por trás disso tudo. Pois bem, quem sabe conjugar o verbo "odiar" sabe conjugar qualquer dos que formam o "MARIO": eu odeio, eu incendeio, eu remedeio, eu anseio, eu medeio". E, antes que eu me esqueça, o verbo "intermediar" (derivado de "mediar") segue o mesmo caminho ("eu intermedeio"). Vamos à nossa adaptação do ditado: "Quem não previne remedeia".

## “Como planejado” ou “como planejadas”?

Veja estas duas frases: “As colheitas serão feitas como planejado”; “As colheitas serão feitas como planejadas”. Qual delas é a correta? É possível analisar a questão de duas maneiras: “As colheitas serão feitas como (foi) planejado (fazê-las)” e “As colheitas serão feitas como (elas) foram planejadas”. Deduz-se, pois, que as duas construções são possíveis.

**28**
**DIA DO AGRICULTOR**

## “Como você se chama?”

“Como você se chama?” Quem pergunta deve colocar o “se”, assim como quem responde deve colocar o “me” (“Eu me chamo Pedro”). Na língua oral, mais econômica, é inegável a tendência de suprimir partículas, e o “se” e o “me” são algumas delas. Certamente é essa a razão de, na linguagem do dia-a-dia, serem comuns formas como “Como você chama, menino?”. Ao pé da letra, quando se pergunta “Como você chama?”, pergunta-se como a pessoa executa o ato de chamar (com palavras, com três toques na porta, com a buzina do carro, com uma trombeta etc.).

**29**
**DIA DA IDENTIFICAÇÃO**

**30**
**NASCIMENTO DE HENRI FORD (1863)**

## O "automobilês"

Não é coincidência, não. O nome da Ford, famosa fábrica de automóveis, vem do sobrenome de Henri Ford, fundador dessa prestigiada indústria norte-americana. Pois bem, como todo segmento socioeconômico, o mercado de automóveis tem seu linguajar próprio, cheio de particularidades. Nesse jargão, "cabrito", por exemplo, é carro roubado que foi "esquentado". "Esquentar", nesse caso, é alterar o número do chassi para "regularizar" a situação do automóvel. Por falar em "chassi", é bom dizer que, no Brasil, essa palavra francesa perdeu o "s" final (*châssis*, em francês). A forma *chassis* é usada em Portugal. No automobilês, são comuns as reduções: "ar" equivale a "ar-condicionado", "rodas" substitui "rodas de liga leve", "bancos" é a síntese de "bancos de couro" e assim por diante. Mas o caso mais interessante do "automobilês" talvez seja o dos "semi-novos". Temos aí um belo exemplo de eufemismo, figura que o dicionário "Aurélio" define como "ato de suavizar a expressão duma idéia substituindo a palavra ou expressão própria por outra mais agradável ou polida". Por eufemismo, o tradicional automóvel usado virou "semi-novo". No uso comum, a expressão não pegou. As pessoas dizem mesmo "carro usado". O problema é que, para completar o truque, faz-se necessário empregar o hífen em "semi-novos" (para colocar em destaque a palavra "novos"), contrariamente ao que prega o sistema ortográfico vigente. O prefixo "semi" só se liga com hífen a palavras iniciadas com vogal, "h", "r" ou "s". Assim, há hífen em "semi-árido", "semi-humano", "semi-reta" ou "semi-sólido", mas não há em "semifinal", "semivogal", "semicírculo" ou "semibárbaro". De acordo com a norma, portanto, "seminovos" se escreve sem hífen, mas assim grafada certamente não produziria o efeito desejado pelo mercado automobílstico. Como se sabe, em publicidade há fatores (o apelo visual, por exemplo) que contam mais do que qualquer regra gramatical. Moral da história: se você quiser acreditar que o carro não é usado, mas "seminovo", acredite. Mas é bom saber que a grafia "semi-novos" (com hífen) não está de acordo com o "Vocabulário Ortográfico da Língua Portuguesa" e com os dicionários.

### "À kilo"

**31**
**DIA DA CAMPANHA DO QUILO**

"Pelo amor de Deus, professor! Pelas minhas pesquisas recentes, TODOS (!) os jovens acreditam piamente que 'quilo' se escreve com 'k'. A profusão de restaurantes que anunciam 'a kilo' – quando não 'à kilo', com crase! – deve estar causando esse desconhecimento geral". O desabafo é de um leitor do Rio de Janeiro. Este protesto me lembra o que me relataram recentemente. Interessada nos conhecimentos ortográficos de seu interlocutor, uma pessoa perguntou a um rapaz como ele escreveria "comida por quilo" em um restaurante. Depois de pensar muito, o mancebo disparou: *Self-service*!. Caso clássico de ruído na comunicação. Que fique claro: "kg" é o símbolo de "quilo", assim como "km" é o de quilômetro.

# AGOSTO

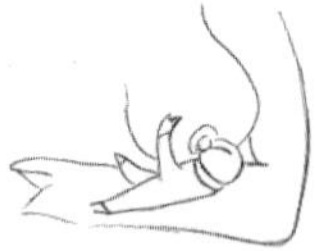

**01**
**DIA DA AMAMENTAÇÃO**

## "Dar à luz" ou "dar a luz"?

"Sílvia dará à luz uma criança" ou "Sílvia dará a luz a uma criança"? A forma correta é "Sílvia dará à luz uma criança". O motivo é simples: uma mulher dá ("entrega", "doa") uma criança à vida, ao mundo, à luz. Sendo assim, o correto é dizer "Ela dará à luz um bebê" e não "Ela dará a luz a um bebê". Perceba que a mulher não dá luz ao bebê, mas dá (entrega) o bebê à luz (à vida, ao mundo). Também se diz simplesmente "Ela dará à luz".

## "Risco de morte" ou "risco de vida"?

Ao pé da letra, se o risco é sempre de coisa ruim ("risco de infecção", "risco de contaminação", "risco de não se classificar para a fase final do campeonato", "risco de ficar desempregado", "risco de adoecer" etc.), parece cabível que se dêem como legítimas as construções "risco de morte" e "risco de morrer" ("Fulano ainda corre risco de morte"; "Fulano ainda corre risco de morrer"). Mas há pelo menos duas explicações para o emprego de "risco de vida" no lugar de "risco de morte". A primeira delas se baseia no inegável horror que a palavra "morte" causa, o que talvez nos faça fugir dela como o diabo foge da cruz. A segunda explicação (talvez mais plausível) se assenta na idéia do cruzamento de construções ("Sua vida corre risco" com "Ele corre risco de vida", por exemplo) ou ainda na pura e simples omissão ("Correr o risco de [perder a] vida"). O nome técnico dessa omissão (de termo que se subentende) é "elipse". O fato é que, nesses casos, não parece sensato remar contra a maré. O largo uso da expressão "risco de vida" é motivo mais do que suficiente para que a aceitemos pacificamente. É bom que se diga que não lhe faltam registros nos dicionários. O "Houaiss" dá três exemplos do emprego de "risco" com o sentido de "probabilidade de perigo" ("risco de vida", "risco de infecção", "risco de contaminação"). Publicado em 2001, o "Dicionário da Língua Portuguesa Contemporânea", da Academia das Ciências de Lisboa, dá "risco de vida" e "perigo iminente de morte" como expressões equivalentes, exemplificadas com esta frase: "O doente encontra-se em risco de vida".

**02**
**MORTE DO PINTOR LASAR SEGALL (1957)**

**03**
**DIA DO CAPOEIRISTA**

## "O mau jogador joga mal"

Originariamente, a capoeira é arte marcial de defesa e ataque. Hoje em dia, é praticada como esporte ou como jogo. E, se pode ser jogo, seus participantes podem ser jogadores. E jogadores ganham ou perdem, jogam bem ou jogam ma... Xi! Lá vêm elas, aquelas duas palavrinhas ("mau" e "mal"), que deixam muitas pessoas na rua da amargura. Aqui vai uma orientação muito simples: "mau" é o contrário de "bom"; "mal" é o contrário de "bem". Veja estes exemplos: "Ele é mau/bom jogador"; "Ele joga bem/mal". Se você esquecer qual é o contrário de qual, basta colocar os termos em ordem alfabética: "mal" vem antes de "mau"; "bem" vem antes de "bom". Aí é só repetir: mal ≠ bem; mau ≠ bom. Simples, não?

## Os dois milhões de mulheres

Dizemos "dois dúzias de ovos"? Certamente não. O numeral ("duas") concorda com "dúzias", palavra feminina, e não com "ovos", masculina. Por isso dizemos "duas dúzias de ovos". Aplica-se exatamente o mesmo processo no que diz respeito a "milhão", palavra masculina: "Um milhão de pessoas", "Dois milhões de pessoas". Note que ninguém diria que o governo inglês gastou "duas milhões de libras". A concordância do numeral seria feita com "milhões" ("O governo inglês gastou dois milhões de libras"). Moral da história: "Dois milhões de pessoas participaram do ato", "O governo ainda não recebeu os dois milhões de doses da vacina", "O Ministério da Saúde pretende tratar dos dois milhões de mulheres que apresentam o sintoma".

**04**

**RACHEL DE QUEIROZ É A PRIMEIRA MULHER ELEITA PARA A ACADEMIA BRASILEIRA DE LETRAS (1977)**

**05**
**DIA NACIONAL DA SAÚDE**

## As flexões e a grafia de “infravermelho” e “ultravioleta”

Os prefixos latinos “ultra” e “infra” só se agregam com hífen a palavras iniciadas por “h”, “r”, “s” e vogal, como se vê nestes exemplos: “infra-estrutura”, “infra-hepático”, “infra-renal”, “infra-som”, “ultra-útil”, “ultra-humano”, “ultra-realista”, “ultra-secreto”. Nos demais casos, não há hífen: “infravermelho”, “inframandibular”, “ultrademocrático”, “ultraleve” etc. E por que “infravermelho” varia (“raios infravermelhos”) e “ultravioleta” não varia (“raios ultravioleta”)? Por uma razão muito simples: o adjetivo “vermelho” varia (“carros/s vermelho/s”, “camisa/s vermelha/s”), mas, como adjetivo, “violeta” não varia (“vaso/s violeta”, camisa/s violeta”). Quando se indica a cor com a expressão “cor de”, clara ou subentendida, não se faz a flexão do qualificador: “paredes (cor de) gelo”, “camisas (cor de) creme”, “blusas (cor de) vinho”, “vasos (cor de) violeta”. Quando substantivo, “violeta” é palavra variável: “Há belas violetas no jardim”. Moral da história: os raios são infravermelhos, mas são ultravioleta.

## O feminino de "cônsul"

Recentemente, uma diplomata dos Estados Unidos no Brasil protagonizou um embate lingüístico com a imprensa. Recusando o tratamento de "consulesa", essa diplomata americana insistia em ser chamada de "cônsul" ("a cônsul"), que, por sinal, é denominação adotada pelo nosso Ministério das Relações Exteriores. Algumas das nossas gramáticas já registram o emprego de "cônsul" como comum-de-dois (o substantivo não varia; varia apenas o artigo: "o cônsul", "a cônsul"). Nossos dicionários e o "Vocabulário Ortográfico da Língua Portuguesa", no entanto, dizem que o feminino de "cônsul" é "consulesa", seja para a mulher de cônsul, seja para a representante diplomática.

**06**
**DIA DO CÔNSUL**

## "São Jacinto ajudou até os pagãos"

Até "os" pagãos ou até "aos" pagãos? Tanto faz. Sim, tanto faz. Na língua padrão, registra-se o uso do verbo "ajudar" como transitivo direto ("Quem ajuda os pobres empresta a Deus") ou indireto ("Quem ajuda aos pobres..."). Em conseqüência disso, registra-se o uso dos pronomes "o" ("Quem os ajuda empresta a Deus") e "lhe" ("Quem lhes ajuda empresta a Deus") como complemento do verbo "ajudar".

**07**
**DIA DE SÃO JACINTO**

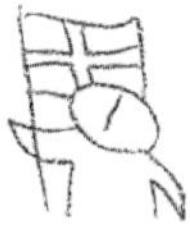

**08**

**DIA DA CRIAÇÃO DA CRUZ VERMELHA (1864)**

## O diminutivo de "febre"

Qual é o diminutivo de "febre"? O erudito é "febrícula", porém mais importante do que saber esse caso específico é aprender que as terminações "ulo/a", "culo/a", que vêm do latim, podem indicar o grau diminutivo. O que é "óvulo"? É o diminutivo de "ovo". É claro que hoje em dia ninguém diz que a galinha botou um "óvulo". Essa palavra, que significa "ovo pequeno", costuma ser usada na linguagem médica, para designar a célula feminina da reprodução. Anote outros diminutivos com essas terminações: "grânulo" (de "grão"), "glóbulo" (de "globo"), "homúnculo" (de "homem") etc.

**09**

**DIA INTERNACIONAL DOS POVOS INDÍGENAS DO MUNDO**

## Goitacá, goitacás, goitacaz, goitacases e goitacazes

O dicionário "Aurélio" diz que "goitacá" é "indivíduo dos goitacás, tribo indígena que até a metade do século XVII senhoreava o litoral brasileiro desde o Espírito Santo até o rio Paraíba do Sul". O dicionário de Caldas Aulete registra "goitacás", mas manda que o leitor veja "goitacases", cujo sentido é "antiga nação indígena, na região do atual Estado do Espírito Santo". Para Aulete, portanto, essa tribo não chegou ao norte fluminense. O "Houaiss" registra "goitacaz", com o sentido de "indígena pertencente ao grupo dos goitacazes". Que confusão! É bom lembrar que, diferentemente dos dicionaristas, os antropólogos não costumam pluralizar nomes de nações indígenas, ou seja, preferem dizer "os caiapó", "os guajajara", "os txucarramãe" etc. Esse costume vem de uma convenção adotada na "Primeira Reunião Brasileira de Antropologia", realizada em 1953, no Rio de Janeiro, quando se decidiu não flexionar os nomes das tribos: os tupinambá, os bororo etc.

## Os ilhéus de Ilhéus

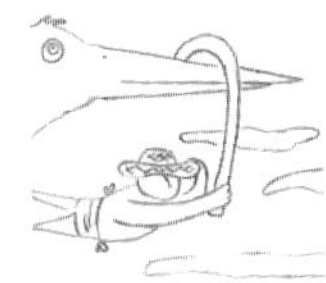

**10**
**NASCIMENTO DE JORGE AMADO (1912)**

A cidade baiana de Ilhéus é marcante na obra de Jorge Amado. E o que significa a palavra "Ilhéus", que resulta do plural de "ilhéu"? Os dicionários dizem que "ilhéu" é "ilha pequena", "ilhota", ou ainda "relativo a ilha ou o que é seu natural ou habitante". E por que há acento agudo em "ilhéu" e "Ilhéus"? Porque nessas palavras ocorre o ditongo "eu", aberto e tônico. Acentua-se a vogal dos ditongos "ei", "eu" e "oi", quando abertos e tônicos, o que ocorre, por exemplo, em "herói", "jóia", "chapéu", "ilhéu", "anéis", "idéia" etc. Voltando a "ilhéu", qual é o feminino dessa palavra (com o sentido de "habitante de uma ilha", é claro)? Anote aí: é "ilhoa".

## "Assistir a novela" e "assistir à novela"?

**11**
**DIA DA TELEVISÃO**

O verbo "assistir" tem vários significados. Quando é sinônimo de "presenciar, ver", tradicionalmente rege a preposição "a": "Não assisti à novela", "Não assisti ao jogo". Os dicionários de regência registram, no entanto, que no português do Brasil – tanto na fala quanto em escritores modernos – é cada vez mais comum o emprego desse sentido de "assistir" sem a preposição "a" ("Não assisti a novela", "Não assisti o jogo"). Em linguagem culta formal, no entanto, convém manter a preposição "a". Com o sentido de "dar assistência, ajudar", o verbo não rege preposição: "O médico assiste o doente", "O INSS não assiste os brasileiros".

**12**
**DIA NACIONAL DAS ARTES**

## “Fazer aula de cerâmica”

Apesar do larguíssimo uso de “fazer” com o sentido de “cursar, freqüentar aulas” (“Ela faz engenharia”; “Ele faz italiano”), muitos dicionários (o de regência de Celso Luft, o de Caldas Aulete, o “Michaelis” e o “Aurélio”, este até a penúltima edição) não acolhem essa construção. A última edição do “Novo Aurélio”, lançado em 1999, acolhe esse sentido, com este exemplo: “Ele fazia medicina, quando nos conhecemos”. O “Houaiss”, lançado em 2001, também abona esse sentido. Diante do exposto, façamos aulas ou cursos de cerâmica, de pintura, de tapeçaria...

**13**
**DIA DO ECONOMISTA**

## “Preço alto” ou “preço caro”?

No rádio, na TV e nos jornais, são comuns as expressões “preço caro” e “preço barato”. Os dicionários costumam dizer que cara ou barata é a mercadoria (“O carro é caro”; “O livro é barato”) e que o preço é alto ou baixo (“Esses produtos têm preços muito altos”; “Nesta época do ano, os preços são baixos”).

## "Vale a pena protestar" ou "vale à pena protestar"?

**14**
**DIA DO PROTESTO**

Numa coluna, empreguei a expressão "Vale a pena protestar", sem acento indicador de crase no "a". Um leitor quis saber se de fato não se emprega o acento nessa expressão. Não ocorre crase em "Vale a pena protestar", já que o "a" é apenas artigo. É bom lembrar que "crase", palavra de origem grega, significa "fusão", "mistura". No caso de "Vale a pena protestar", temos apenas um "a", que é artigo feminino, determinante da palavra feminina "pena". Para que se perceba facilmente isso, basta substituir a palavra feminina "pena" por uma equivalente masculina, como "sacrifício": "Este protesto não vale o sacrifício". Percebeu? Se houvesse crase (a + a = à), o "à" se transformaria em "ao", como ocorre em "O livro pertence à diretora"/"O livro pertence ao diretor".

## "Cartões virtuais" ou "cartões virtual"?

**15**
**DIA DA INFORMÁTICA**

O que temos aí é um dos pilares dos mecanismos de concordância da nossa língua: o par substantivo/adjetivo. O adjetivo "virtuais" deve ir para o plural, para concordar com o substantivo "cartões": "cartão virtual"/"cartões virtuais". No comércio, não são poucos os cartazes e placas que anunciam "doces caseiro", "lâmpadas importada", "juros baixo", "telefones celular" etc. O efeito disso é devastador, já que as pessoas tendem a crer no que está escrito. Em se tratando de placas e cartazes, rótulos de produtos e outras coisas do gênero, infelizmente é melhor desconfiar.

**16**
**DIA DA DESCOBERTA DO CABO DE SÃO ROQUE (1501)**

## "Descobrimento" e "descoberta"

Há quem julgue que "descobrimento" e "descoberta" tenham valores distintos. O termo "descobrimento" seria vinculado à idéia de descobrir terras, enquanto "descoberta" teria relação com a idéia de descobrir substâncias, soluções científicas etc. Os dicionários não confirmam essa "tese". Neles, "descoberta" e "descobrimento" aparecem como palavras equivalentes, seja no sentido da localização de novas terras, seja no da criação de algo. Pode-se, pois, falar no descobrimento ou na descoberta do Brasil ou do Cabo de São Roque, por exemplo, assim como se pode falar no descobrimento ou na descoberta da energia elétrica ou da penicilina.

**17**
**DIA DO PATRIMÔNIO HISTÓRICO**

## "Os brasileiros hão de compreender a importância da preservação a memória do país"

Quem foi que disse que nunca se emprega o verbo haver no plural? "Hão" é a terceira pessoa do plural do presente do indicativo de "haver". Esse verbo não sai do singular quando é empregado com o sentido de "existir", "ocorrer" (ou "acontecer") ou "fazer" (na indicação de intervalo entre dois fatos), o que se vê em frases como "Havia muitas pessoas na sala", "Houve duas brigas durante a festa", ou "Moro aqui há dez anos". Nos demais casos, o verbo "haver" tem plural, sim. Em "Os brasileiros hão de compreender a importância da preservação da memória do país", o verbo "haver" é empregado como auxiliar do verbo "compreender".

## “A cultura é tão importante quanto...”

Como se fecham as estruturas comparativas? Depende. Se o que se compara é expresso por um adjetivo, usa-se “tão” para modificá-lo e fecha-se a comparação com “como” ou “quanto”, indiferentemente: “Para a completa formação de um indivíduo, a cultura é tão importante quanto (ou ‘como’) a educação”. Se o que se compara é expresso por um verbo, usa-se “tanto” para modificá-lo e, de novo, fecha-se a comparação com “como” ou “quanto”, indiferentemente: “Para governos sérios, a cultura deve importar tanto quanto (ou ‘como’) a educação”.

**18**
**DIA DA REVOLUÇÃO CULTURAL**

## Meu ídolo

Muita gente fica na dúvida quando se refere a uma mulher de que muita gente gosta. Deve-se dizer “uma ídola”? Não. Independentemente do sexo, deve-se dizer “um ídolo”: “Ela é ídolo nacional”; “Ela é o maior ídolo da canção brasileira”. Outra palavra que não sofre alteração é “carrasco”. Não diga “Ela é uma carrasca”. Diga “Aquela mulher é um carrasco”.

**19**
**DIA DO ATOR**

**20**
**DIA DO PAPELEIRO**

## O plural de "papelzinho"

Certa vez, alguém me perguntou como é e como se acentua o plural de "papelzinho". Para tanto, é preciso fazer duas flexões. É como se se fizesse o plural de "papel" e o de "zinho". O de "papel" é "papéis"; o de "zinho" é "zinhos". Moral da história: o plural de "papelzinho" é "papeizinhos". Note que o "s" e o acento de "papéis" somem. O acento desaparece porque a sílaba tônica passa a ser "zi". Esse mecanismo se aplica sempre que o diminutivo for feito com o acréscimo do sufixo "zinho": "anel/anelzinho/anéis/aneizinhos"; "chapéu/chapéus/chapeuzinho/chapeuzinhos"; "pão/pães/ pãozinho/pãezinhos". Quando o diminutivo é feito com o acréscimo de "inho/a", a história é outra: "casa/casinha", "japonês/japonesinho", "mesa/mesinha". Percebeu? O "s" da palavra primitiva fica.

**21**
**DIA DA HABITAÇÃO**

## Casas "germinadas"

Quem é que nunca ouviu isso? As casas são "geminadas", e não "germinadas". "Germinar" é o que fazem as sementes, quando começam a desenvolver-se. Casas, infelizmente, não brotam. Seria uma ótima solução para o problema habitacional do país. Casas duplicadas, feitas aos pares, são "geminadas", sem "r". "Geminadas" e "geminar" são palavras da mesma família. E "geminado" é sinônimo de "gêmino": casas "gêminas" ou "geminadas".

## O plural de "bumba-meu-boi"

"Por que o plural de o bumba-meu-boi é os bumba-meu-boi?", perguntou uma leitora. De fato "bumba-meu-boi" é substantivo de dois números, ou seja, a forma do singular é igual à do plural. Nos dicionários e no "Vocabulário Ortográfico da Língua Portuguesa", isso aparece assim: "2 n". "Bumba-meu-boi" (nome de importante bailado popular, difundido em boa parte do Brasil) talvez seja o único substantivo composto de mais de dois elementos iniciado por verbo e sem preposição no meio. Por isso mesmo é um caso bem especial. Esse "bumba" não varia porque é do verbo "bumbar", que significa "surrar, espancar, esbordoar".

**22**
**DIA MUNDIAL DO FOLCLORE**

## Para onde ir?

É correta a frase "Vai para aonde Deus quiser"? A presença da preposição "para" impede o uso de "aonde" (resultado de "a + onde"). Por quê? Porque o "a" que entra na formação de "aonde" é preposição. Usa-se uma das duas preposições, e não as duas. As formas corretas, portanto, são "Vai para onde Deus quiser" e "Vai aonde Deus quiser". É preciso lembrar a clássica distinção entre "ir a algum lugar" e "ir para algum lugar", ainda viva na língua. Em "Ele foi a Belo Horizonte", por exemplo, indica-se que sua permanência será breve, mas em "Ele foi para Belo Horizonte" pode-se indicar que sua permanência será longa ou definitiva.

**23**
**DIA DO CAIXEIRO VIAJANTE**

**24**
**DIA**
**DOS ARTISTAS**

## Os artistas e a mídia

É comum ouvirmos dizer que determinado artista é "multimídia" ("dança, canta, interpreta..."). De onde vem a palavra "mídia"? Vem do latim e é o plural de *medium*, que significa "o meio", "o centro", "o espaço intermediário". O uso atual de "mídia" ("o conjunto dos meios de comunicação") provém da expressão anglo-latina *mass media* ("meios de comunicação de massa"). A nossa forma "mídia" provém da pronúncia inglesa de *media*, que nós, doidinhos para imitar o que vem das culturas de língua inglesa, acabamos adotando. Os portugueses, mais resistentes, adotaram a forma "média". O que no Brasil é "multimídia", por exemplo, em Portugal é *multimédia*.

**25**
**DIA**
**DO FEIRANTE**

## O feirante vende "o alface" ou "a alface"?

É comum ouvirmos a palavra "alface" empregada no masculino ("o alface"). Gramáticas e dicionários, no entanto, não acolhem "alface" como palavra masculina; registram-na apenas como feminina ("a alface"). É interessante lembrar que mesmo quem diz "o alface" emprega o termo no feminino quando a ele se associa um adjetivo ("alface lisa", "alface crespa", "alface americana" etc.). Que fique claro: "alface" é palavra feminina.

## O feminino de "garçom", "piloto" etc.

Hoje em dia, as mulheres exercem certas profissões que antigamente eram exclusivamente masculinas. O resultado disso é uma sucessão de dúvidas: qual é o feminino de "piloto"? E o de "garçom"? Vamos lá: a palavra "garçom" (que se escreve com "m" e possui a variante "garção") vem do francês *garçon* ("jovem", "rapaz") e já foi usada em português com o sentido original, como se vê neste fragmento de Machado de Assis, citado no "Aurélio": "Era um lindo garção, lindo e audaz". Na língua de hoje, predomina a forma "garçom", com o sentido de "empregado que serve em restaurantes". O "Vocabulário Ortográfico da Língua Portuguesa" registra "garçoa", que também aparece no dicionário de Caldas Aulete (que lhe dá o sentido de "moça"). Os demais dicionários registram "garçonete", com o sentido de "empregada que serve em restaurantes". Os dicionários (mesmo em suas edições mais recentes) não se pronunciam sobre o feminino de "piloto", mas o "Vocabulário Ortográfico da Língua Portuguesa" é categórico: registra "pilota".

**26**
**DIA INTERNACIONAL DA IGUALDADE FEMININA**

## "A psique" ou "a psiquê"?

Talvez você já tenha presenciado discussões entre pessoas interessadas nas reações humanas em geral. No meio da conversa, alguém diz que determinado comportamento é da "psiquê" humana. A maioria dos dicionários só registra "psique", que se lê com força no "i". O "Houaiss" registra as duas formas "("psique" e "psiquê"), mas diz que a preferencial é "psique", sem acento. Esse elemento grego significa "sopro" e, por extensão, "sopro de vida", "alma" etc.

**27**
**DIA DO PSICÓLOGO**

**28**
**DIA DO BANCÁRIO**

## O boleto bancário

Afinal, as contas nossas de todos os meses vêm em "boletos bancários" ou em "bloquetos bancários"? Um leitor informa que o "Aurélio" não registra nenhuma das formas, mas que recentemente a Febraban ("Federação Brasileira dos Bancos") empregou "bloqueto" em um cartaz. A última edição do "Aurélio" ("Novo Aurélio Século XXI", lançada em 1999) finalmente registra "boleto", termo usadíssimo de norte a sul do país, e lhe dá como equivalente a expressão "lâmina de pagamento". No verbete "lâmina", explica-se que a tal "lâmina de pagamento" é brasileirismo (?!) e significa "impresso emitido por instituição financeira, empresa, etc., próprio para registro e efetuação de pagamento de compromisso". O "Houaiss" também registra "boleto". Não há registro de "bloqueto" no "Vocabulário Ortográfico da Língua Portuguesa" e nos dicionários.

**29**
**DIA NACIONAL DE COMBATE AO FUMO**

## O cigarro causa "enfarto". Ou será "enfarte"?

O dicionário "Houaiss" registra quatro formas: "enfarte", "enfarto", "infarte", "infarto". Das quatro, o "Vocabulário Ortográfico da Língua Portuguesa" e o "Aurélio" só não registram "infarte". Como se vê, não há dúvida sobre três das quatro formas. E não há dúvida também sobre os males do cigarro: quem fuma é sério candidato ao enfarte, ao enfarto, ao infarto... Ou aos três de uma vez!

### “Havia pagado” ou “havia pago”?

**30**
**DIA DO VENDEDOR LOJISTA**

É correto o emprego de “pagado” em “Ele já havia pagado os livros”? “Pagar é um dos vários verbos de nossa língua que têm duas formas de particípio (“pagado” e “pago”). Estão nesse caso os verbos “aceitar” (“aceitado” e “aceito”), “expulsar” (“expulsado” e “expulso”), “entregar” (“entregado” e “entregue”), “salvar” (“salvado” e “salvo”), “soltar” (“soltado” e “solto”), “prender” (“prendido” e “preso”), “suspender” (“suspendido” e “suspenso”) etc. Normalmente, emprega-se o particípio regular (o que termina em “-ado” ou “-ido”) com os auxiliares “ter” ou “haver” (“Ele tinha prendido o cachorro”; “O ladrão tinha soltado o refém”) e o irregular ( o que não termina em “-ado” ou “-ido”) como “ser” e “estar” (“O assaltante foi preso”; “O refém será solto”). Não são poucos, no entanto, os particípios irregulares que se empregam com “ter” e “haver”. “Pago”, “ganho” e “gasto”, por exemplo, são empregados com qualquer auxiliar. No caso em questão, as duas construções são corretas (“Ele havia pagado” ou “Ele havia pago”).

**31**

**DIA NACIONAL DO OUTDOOR**

## ***Outdoor* e *indoor***

Sabemos todos que o *outdoor* nada mais é do que um cartaz ou painel em que se anuncia algum produto ou serviço. Originário do inglês, o termo *outdoor* é a redução da expressão *outdoor advertising* ("anúncio feito ao ar livre", "propaganda ao ar livre"). A palavra *outdoor* resulta da soma de *out* ("fora") e *door* ("porta"). Hoje em dia se fala de alguns esportes *indoor*. Que é isso? Vamos lá: *indoor* é a redução de *whitin door in a building* ("no interior de um edifício"). O esporte *indoor* é praticado em ambiente fechado. Que coisa, não? Este livro trata de questões da língua portuguesa, mas, como se vê, às vezes é preciso "traduzir" certos anglicismos que povoam nosso idioma.

# SETEMBRO

**01**
**DIA DO PROFESSOR DE EDUCAÇÃO FÍSICA**

## "Biótipo" ou "biotipo"?

Dia desses, assistindo à TV, escutei numa reportagem sobre exercícios físicos um professor dizendo o seguinte: "Algumas vezes precisamos explicar para as alunas que nem sempre elas vão conseguir ficar com o corpo igual ao da Luana Piovani, por exemplo. Tudo depende do biótipo da pessoa". Epa! "Biotipo" ou "biótipo"? Alguns dicionários, como o "Michaelis" e o "Aurélio", só registram "biótipo" (proparoxítona). Paradoxalmente, depois de informar os sentidos da palavra, o "Aurélio" diz que "a pronúncia corrente no Brasil é biotipo", o que é a mais pura verdade. O "Vocabulário Ortográfico da Língua Portuguesa", que tem força de lei, registra as duas formas: biótipo e biotipo. Moral da história: valem as duas.

**02**
**DIA DO FLORISTA**

## "Antúrio" ou "antúlio"?

É interessante o que ocorre com a palavra "antúrio". Muita gente troca o "r" por "l". E "antúrio", com "r", vira "antúlio", com "l". A única forma considerada correta é "antúrio", palavra de origem grega. Ensina o dicionário de mestre Caldas Aulete que "antúrio" resulta da soma de *anthos* ("flor", em grego) com *oura* ("cauda", também em grego). Se você gosta, encha seu jardim de antúrios (com "r") e de crisântemos (proparoxítona, ou seja, com força no "a", que recebe o circunflexo). Nada de pôr força no "e" e dizer "crisantêmo".

## Como se lê o "s" de "marsupial"?

O "s" deve ser lido como o das palavras "curso", "farsa", "urso", "verso" etc. e como todo "s" que vem depois de "r" ou "l", ou seja, deve ser lido como se lê o grupo "ss" de "passo", "nosso", "posso", "assar" etc.

**03**
**DIA NACIONAL DO BIÓLOGO**

## Os serviços foram "normatizados" ou "normalizados"?

O verbo "normatizar" não figurava no dicionário de Caldas Aulete, cuja última edição é da década de 60, mas está no "Aurélio", no "Michaelis", no "Houaiss" e no "Vocabulário Ortográfico da Língua Portuguesa". "Normatizar" significa "criar ou estabelecer normas". Embora os dicionários digam que "normalizar" pode ter o mesmo sentido de "normatizar", é muito mais comum o emprego de "normalizar" com o sentido de "tornar normal, regularizar, padronizar, fazer voltar à normalidade", também registrado nos dicionários.

**04**
**DIA DO SERVENTUÁRIO**

**05**
**DIA DO OFICIAL DE JUSTIÇA**

## "Mandado" e "mandato"

Você já ficou em dúvida no momento de escolher entre "mandado" e "mandato"? Se já ficou, não se aflija. A coisa não é tão feia assim. Vejamos como é isso. A polícia pode entrar na casa de alguém a qualquer momento? Em países civilizados, não pode. Ela precisa de um mandado judicial para poder fazer isso. "Mandado" é "ordem escrita, expedida por autoridade judicial ou administrativa". "Mandato" é outra história. É, por exemplo, o poder que alguém recebe do povo, por meio de voto, para governar uma cidade, um país. O mandato de Fernando Henrique Cardoso, por exemplo, terminou em 31 de dezembro de 2002; o de Luiz Inácio Lula da Silva começou em 1º de janeiro de 2003.

**06**
**DIA DO ROSH HASHANÁ**

## O ditongo de "hebraico"

Há uma regra de acentuação específica para os ditongos "ei", "eu" e "oi". Acentua-se a base desses ditongos, quando abertos e tônicos, o que se vê, por exemplo, em "geléia", "anéis", "chapéu", "céu", "herói" e "estóico". Essa regra se fundamenta na necessidade de distinguir o timbre aberto do fechado, que se vê, por exemplo, em "aveia", "judeu" e "boi", que não recebem acento. Nos ditongos "au" e "ai" nunca há acento. Servem de exemplo, entre outras, as palavras "degrau", "nau", "pau", "baila", "laico", "aipo", "hebraico", "judaico".

## "Independentemente"

Quando se diz "mulher independente" ou "país independente", emprega-se o adjetivo "independente" para qualificar um substantivo ("mulher" e "país", respectivamente). Em "Irei à festa, independentemente da sua vontade", não se qualifica um ser (o que se faria com o adjetivo "independente"); emprega-se o advérbio "independentemente" para que se estabeleça o nexo entre o termo "sua vontade" e o fato expresso por "Irei à festa". O advérbio "independentemente" modifica todo um fato, e não apenas um ser.

**07**

**DIA DA PROCLAMAÇÃO DA INDEPENDÊNCIA DO BRASIL**

## O alfabeto

"Alfabetização" vem de "alfabetizar", que, por sua vez, vem de "alfabeto", que, por sua vez, nada mais é do que a junção de duas letras gregas (*alpha* e *beta*, que, por sinal, são as que iniciam o alfabeto grego). E o nosso alfabeto? Quantas letras tem? São 23 letras. Se você chegou a 26, certamente deve ter incluído na lista o "k", o "w" e o "y". Essas três letrinhas não fazem parte do nosso alfabeto; são empregadas apenas em símbolos internacionais e em certos nomes estrangeiros e respectivos derivados.

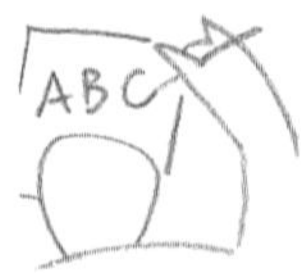


**08**

**DIA INTERNACIONAL DA ALFABETIZAÇÃO**

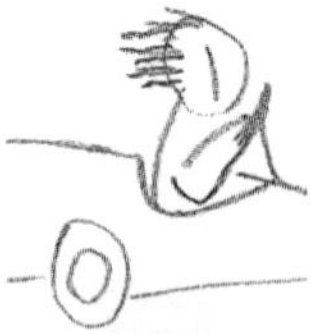

**09**
**DIA DA VELOCIDADE**

## O "quilo" de "quilômetro", "quilograma" etc.

Será coincidência as palavras "quilômetro", "quilograma", "quilowatt", "quilohertz" e "quilolitro", entre outras, começarem com "quilo"? Não é coincidência, não. O elemento grego "quilo" multiplica por mil uma unidade de medida. Um quilômetro equivale a mil metros; um quilolitro, a mil litros; um quilograma, a mil gramas. "Quilograma", por sinal, já virou "quilo" há muito tempo, no Brasil e em vários cantos do planeta. É bom não confundir a grafia do substantivo (que se escreve com "q") com a do símbolo (que se escreve com "k"). O símbolo de quilômetro é "km"; o de quilograma é "kg", e assim por diante. Não se deve levar a sério a grafia que se vê nas feiras livres e nos restaurantes ("kilo", "comida por kilo" etc.).

**10**
**DIA NACIONAL DO JORNALEIRO**

## "Bimensal" ou "bimestral"?

Uma revista que é publicada de dois em dois meses é "bimestral" ou "bimensal"? Ou tanto faz? Apesar de parecidas, essas palavras têm significado diferente. O elemento comum é o prefixo "bi-", que significa "dois". "Bimensal" é o que ocorre duas vezes por mês. Equivale a quinzenal. Uma revista bimensal, por exemplo, sai duas vezes por mês. "Bimestral", que diz respeito a "bimestre" ("período de dois meses"), é o que ocorre uma vez por bimestre, ou seja, uma vez a cada dois meses. Uma revista bimestral, portanto, é publicada de dois em dois meses.

## "Perder para" ou "perder de"?

Tradicionais dicionários de regência, como o do professor Celso Luft, simplesmente não tratam da questão. O "Aurélio", antes da última edição, também ignorava solenemente o problema. O "Novo Aurélio Século XXI", lançado em 1999, finalmente registra esse emprego de "perder" e abona as duas regências largamente usadas pelo povo e pelos meios de comunicação no Brasil ("perder para" e "perder de"). Os exemplos do "Novo Aurélio" são estes: "Meu time perdeu para o Flamengo"; "A Argentina perdeu do Brasil". Em Portugal, salvo engano, a regência predominante é "a" ("O Sporting perdeu ao Benfica").

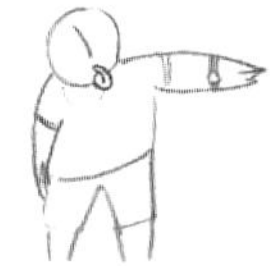

**11**
**DIA DO ÁRBITRO ESPORTIVO**

## A seresta e a serenata

Nossos dicionários dão "seresta" e "serenata" como equivalentes. A origem de "serenata" é conhecida: essa palavra é da família de "sereno". A serenata costuma ser feita à noite, na rua, muitas vezes embaixo de uma janela. A origem de "seresta" é obscura, mas a tese mais difundida é a de que essa palavra viria das duas primeiras sílabas de "serenata".

**12**
**DIA DA SERESTA**

**13**
**DIA MUNDIAL DO AGRÔNOMO**

## "Eletro" + "rural"

Certa ocasião, um agrônomo de Belo Horizonte quis saber como juntar "eletro" e "rural" ("eletro-rural" ou "eletrorrural"?). Nenhuma das duas formas aparece nos dicionários, nem no "Vocabulário Ortográfico da Língua Portuguesa". Mas é possível definir a questão por semelhança. Há registro de "eletrossiderurgia", "eletrossoldadura", "eletrossíntese", "eletrorretinográfico", "eletrorradiologia", "eletrorrefinação", "eletrorresistividade", entre outras. Ocorre com "eletro" (variante de "electro") o que ocorre com vários elementos de composição, como "multi", "mega", "mini", "pluri": agregam-se sem hífen. Em tempo: dobra-se o "s" ou o "r", quando necessário. Escreve-se, pois, "eletrorrural".

**14**
**DIA DO FREVO**

## O frevo e a metátese

Não se assuste, caro leitor. Não vamos falar de câncer, isto é, de metástase. Nosso assunto é "metátese", um fato da língua. Que diabo vem a ser "metátese" e que relação o frevo tem com esse nome feio? Vamos lá: "metátese" é a "transposição de fonemas dentro de um mesmo vocábulo". Entendeu? Não? Vamos a um exemplo concreto: a palavra "sempre", que em latim é *semper*. Os fonemas representados por "er" na forma latina inverteram-se na forma portuguesa (e na italiana também). Pois bem, "frevo" vem de... Vem da metátese de "fervo", que por sua vez deriva do verbo "ferver" ("por alusão à agitação e ao calor da dança e da música", diz o "Houaiss"). "Frevo", portanto, é uma forma metatética de "fervo".

## O plural de "refrão"

Um aluno diz que estranhou a forma "refrãos", que viu num texto sobre literatura. "O plural de refrão não é refrões?", perguntou. O plural das palavras terminadas em "ão" muitas vezes é uma caixinha de surpresas. A maior parte desses vocábulos faz o plural em "ões": "coração/corações", "portão/portões", "sabão/sabões", "balão/balões", "avião/aviões" etc. Outras, no entanto, fazem o plural em "ães" ("cão/cães", "alemão/alemães", "pão/pães" etc.) ou em "ãos" ("irmão/irmãos", "mão/mãos", "cidadão/cidadãos", "grão/grãos" etc.). Pois bem, o plural de "refrão" é... Não é "refrões", no qual talvez apostássemos todas as nossas fichas. O plural de "refrão" pode ser "refrães" ou "refrãos".

**15**
**DIA DO MUSICOTERAPEUTA**

## O plural de "guarda-sol"

Como a camada de ozônio foi parcialmente destruída pelos homens, o Sol anda fazendo estragos. Proteger-se dele, portanto, é fundamental. Por falar nisso, qual é o plural de "guarda-sol"? Bem, essa palavra composta é nome de alguma coisa, portanto é um substantivo composto. Quias são os elementos formadores desse composto? O primeiro é "guarda", que, no caso, é verbo. Sim, verbo, já que o papel do "guarda-sol" é guardar (proteger) alguém dos raios solares. O segundo elemento é "sol", substantivo. Nos substantivos compostos formados por verbo e substantivo, só se flexiona o segundo elemento: "a porta-bandeira/as porta-bandeiras"; "o beija-flor/os beija-flores"; "o guarda-sol/os guarda-sóis".

**16**
**DIA INTERNACIONAL PARA A PRESERVAÇÃO DA CAMADA DE OZÔNIO**

**17**
**DIA DA COMPREENSÃO MUNDIAL**

### "Compreensão", "ascensão, "suspensão"...

Uma das grandes dificuldades ortográficas da língua portuguesa são as terminações "-ção", "-são" e "-ssão" de certos substantivos que designam o "ato de". No caso de "compreensão", que significa "ato de compreender", emprega-se a letra "s". É bom guardar alguns dos casos em que se emprega "s" no substantivo: ascender/ascensão, suspender/suspensão, distender/distensão, apreender/apreensão, compreender/compreensão. Lembre-se de que é preciso manter o "s" em todos os membros de cada uma das famílias dessas palavras: apreensivo, compreensivo, suspensivo, ascensorista etc.

**18**
**DIA DOS SÍMBOLOS NACIONAIS**

### "As baianas lavaram os degraus da escadaria da igreja"

Os símbolos nacionais são a bandeira, o hino, os brasões etc. Metaforicamente, pode-se dizer que certas pessoas são símbolos nacionais. Certamente é esse o caso das baianas, que, com seus trajes inconfundíveis, são verdadeiros símbolos da cultura nacional. Ou será que lavaram os "degrais"? Lavaram os degraus, com "u" antes do "s". O plural de palavras terminadas em "al" é feito com a terminação "ais". O plural de "general" é "generais"; o de "especial" é "especiais"; o de "geral" é "gerais". E o plural de palavras em "au"? Nada de "ais". Basta acrescentar "s". O plural de "grau" é "graus"; o de "nau" é "naus"; o de "pau" é "paus". Como em muitas regiões do Brasil o som de "al" acaba se igualando ao de "au", muita gente se confunde e faz, por exemplo, o plural de "degrau" como se faz o plural das palavras terminadas em "al". Que fique claro: para fazer o plural de "degrau", basta acrescentar "s" ("degraus"). Não existe a forma "degrais".

## "O personagem" ou "a personagem"?

**19**
**DIA DO TEATRO**

Esse termo sempre suscita dúvidas: masculino ou feminino? De origem francesa, a palavra tem sido usada tanto no masculino quanto no feminino. Vários dicionários ("Michaelis", "Aurélio", "Houaiss" e o de Caldas Aulete) dão as duas possibilidades. Mestre Aulete diz que "no masculino é termo condenado pelos puristas". Deixemos para lá os puristas. Há quem prefira usar no masculino quando se trata de homem ("o personagem Júlio", por exemplo) e no feminino quando se trata de mulher ("a personagem Sílvia"), mas nem isso é obrigatório.

## O verbo "pesar"

**20**
**DIA DO GAÚCHO**

Como se usa o verbo "pesar" na expressão "em que pese"? Quando se faz referência a pessoas, costuma-se empregar essa expressão com a forma verbal fixa, seguida da preposição "a": "Em que pese aos aposentados, o governo não reajustará as pensões". Quando se faz referência a coisas, o verbo costuma concordar com o sujeito, normalmente posto depois: "Em que pesem os últimos aumentos no preço do petróleo, o governo promete não reajustar a gasolina". No caso, o verbo se ajustou ao número (plural) de seu sujeito ("os últimos aumentos no preço do petróleo").

**21**
**DIA DO RADIALISTA**

## "O programa vai ao ar das 2h às 5h"

Muita gente se confunde na hora de escrever expressões com as quais se indica a duração de determinado processo: o "as" recebe ou não recebe o acento indicador de crase? Vamos lá: o que é "das"? É "de+as", certo? Se você diz "das 2h", é porque existe artigo ("as") antes do horário (2h). Se existe artigo para "2h", por que não haveria de existir para "5h"? Moral da história: a expressão é "das (de+as) 2h às (a+as) 5h". Afinal, o que se quer dizer é "de tal hora a tal hora". As duas preposições ("de" e "a") se fundem com o artigo "as", que antecede as indicações de horário. Anote, então: "das 2h às 5h".

**22**
**DIA DA DEFESA DA FAUNA**

## Amor elefântico

Há algum tempo, o "Jornal Nacional" informou que, correndo atrás de seu amado, uma elefanta apaixonada caiu num fosso de um jardim zoológico. Muita gente estranhou a palavra "elefanta". Não seria "elefoa", como ensinam muitos professores? Não. Consulte os dicionários. É "elefanta" mesmo. No verbete "elefante", o "Aurélio" chega a ser explícito e categórico ao dizer que o feminino é "elefanta" e que "não existe a forma elefoa".

### A primavera e alguns nomes (compostos) de flores

**23**
**INÍCIO DA PRIMAVERA**

Não são poucas a flores que têm nome composto: "amor-perfeito", "sempre-viva", "boca-de-leão", "brinco-de-princesa", "copo-de-leite" etc. Como se faz o plural desses nomes? O caso de "amor-perfeito" é simples: trata-se de um substantivo composto formado por um substantivo ("amor") e um adjetivo ("perfeito"). O plural é feito com a flexão dos dois elementos: "amores-perfeitos". A nossa "sempre-viva" é exemplo de composto formado por uma palavra invariável ("sempre") e um adjetivo ("viva"). Só se flexiona o adjetivo: "sempre-vivas". Os demais exemplos se encaixam no mesmo caso. Trata-se de substantivos compostos formados por substantivo + preposição + substantivo. Nesses casos, só se flexiona o primeiro elemento: "bocas-de-leão", "brincos-de-princesa", "copos-de-leite".

### "Um dó" ou "uma dó"?

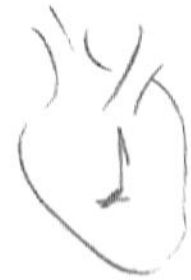

**24**
**DIA MUNDIAL DO CORAÇÃO**

A comiseração faz parte dos sentimentos de quem tem bom coração. E "comiseração" é sinônimo de "compaixão", "piedade", "dó". Por falar em "dó", qual é o gênero dessa palavra? Masculino ou feminino? Aprendemos o gênero das palavras basicamente pelo uso, mas às vezes somos surpreendidos. Se valer o dia-a-dia, "dó" é palavra feminina: "Você não imagina a dó que eu senti". Os dicionários e as gramáticas, porém, ensinam que, no padrão formal da língua, essa palavrinha é masculina, qualquer que seja seu significado: "Senti um grande dó"; "Começou com um dó menor".

**25**
**DIA DO TRÂNSITO**

## "Trânsito" e "tráfego"

Os substantivos "trânsito" e "tráfego" designam, respectivamente, "o ato de transitar" e "o ato de trafegar". Geralmente, estes dois verbos são apresentados e usados como sinônimos, como se vê neste exemplo: "Caminhões não deveriam transitar pelo centro da cidade" ou "Caminhões não deveriam trafegar pelo centro da cidade". Pode-se usar indiferentemente as expressões "trânsito congestionado" e "tráfego congestionado". No entanto, quando se trata de comércio, sobretudo do ilegal, costuma-se empregar "tráfico" ("tráfico de entorpecentes", "tráfico de drogas"). O termo também é usado quando se trata do uso do poder pessoal para obter determinadas vantagens ("tráfico de influência").

**26**
**DIA NACIONAL DOS SURDOS**

## As flexões de "surdo-mudo"

A palavra composta "surdo-mudo" pode funcionar como adjetivo ("menino surdo-mudo") ou como substantivo ("O surdo-mudo se comunica com o mundo por meio de linguagem específica"). Nos dois casos, o plural de "surdo-mudo" é feito com a flexão dos dois elementos: "meninos surdos-mudos"; "Os surdos-mudos se comunicam com o mundo por meio de linguagem específica". Essa orientação também se aplica quando a flexão é de gênero: "menina/s surda/s-muda/s", "A/s surda/s-muda/s se comunica/m com o mundo por meio de linguagem específica".

## A formação da palavra "idoso"

**27**
**DIA NACIONAL DO IDOSO**

O que é um bolo saboroso? Certamente, é um bolo cheio de sabor. Presente em inúmeras das nossas palavras, a terminação "-oso" indica idéia de abundância, de posse plena. Um dia chuvoso é cheio de chuva, assim como um lugar perigoso é cheio de perigo. E um homem idoso? É cheio de quê? De "ida"? De "ido"? Não é isso, não. Um homem idoso é cheio de idade. Pois bem, se é cheio de idade deveria ser "idadoso", não? Deveria, mas não é. Temos aí um processo chamado "haplologia", que nada mais é do que a supressão, no interior de uma palavra, de uma de duas sílabas iguais ou semelhantes e contíguas. Quer um exemplo: "saudadoso" ("saudade" + "-oso"), que, por haplologia, se transforma em "saudoso". Quer outro? Anote aí: "tragico-cômico", que se transforma em "tragicômico".

## As ruas estão "todo molhadas"

**28**
**DIA DO HIDRÓGRAFO**

O elemento grego "hidro-" significa "água", "líquido". Pois bem, depois de uma boa chuva, é possível dizer que as ruas estão "todo molhadas"? É. A palavra "todo" pode ser empregada com valor de advérbio, com o sentido de "completamente", "inteiramente", "totalmente". Assim como se diz "ruas muito molhadas", pode-se dizer "ruas todo molhadas". No entanto é importante lembrar que, por sua origem pronominal, essa palavra pode sofrer flexão, o que torna legítima a construção "As ruas estão todas molhadas". Nesse caso, "todas" concorda, por atração, com "molhadas".

**29**
**DIA DO PETRÓLEO**

## O significado de "petróleo"

Muita gente acredita que a palavra "petróleo" signifique "óleo preto" e que, portanto, teria havido metátese, ou seja, a inversão de fonemas de "preto" (de "preto" para "petro"). Não é nada disso. A palavra "petróleo" vem do latim *petroleum* ("petra" + "oleum"), que nada mais é do que "óleo de pedra". Em "petróleo" existe a raiz latina que deu origem ao nome próprio "Pedro" (*Petrus*, em latim; *Pietro*, em italiano) e ao substantivo "pedra".

**30**
**DIA DA SECRETÁRIA**

## O segredo da secretária

Por que as secretárias têm esse nome? Porque a função delas é guardar segredo. A palavra "secretário" é da mesma família de "segredo", "secreto", "segregar" etc. O significado básico dessa raiz é "pôr de lado", "separar", "afastar". Um lugar secreto, por exemplo, nada mais é do que um lugar escondido, separado, afastado. Será que toda secretária sabe que sua função "etimológica" é guardar segredo?

# OUTUBRO

**01**
**DIA DA ESQUADRA**

## O plural de "porta-aviões"

"Esquadra" é o conjunto de navios de guerra de uma país. Um desses navios é o "porta-aviões", forma reduzida de "navio porta-aviões", que, por sua vez, equivale a "navio-aeródromo". Pois bem, "porta-aviões" é uma das tantas palavras da nossa língua que se usam com "s" no final, tanto no singular quanto no plural. Diz-se, portanto, "o porta-aviões" e "os porta-aviões". Veja outros exemplos: o/os guarda-costas; o/os pára-quedas; o/os porta-luvas; o/os porta-malas; o/os tira-dúvidas.

**02**
**DIA NACIONAL DO HABITAT**

## O habitat natural...

Quem é que nunca ouviu alguém dizer que determinado animal sofre quando está fora de seu "habitat natural"? Existe habitat que não seja natural? Você já percebeu que a expressão "habitat natural" é redundante, certo? Diga, pois, "habitat", simplesmente: "Lá, ela se sente em casa; é esse seu habitat"; "Fora de seu habitat, esses animais não procriam".

## O feminino de "cirurgião-dentista"

**03**
**DIA MUNDIAL DO DENTISTA**

"Dentista" é substantivo comum-de-dois, ou seja, tem forma fixa para o masculino e o feminino, mas exige variação do artigo para a distinção do sexo: o dentista/a dentista. "Cirurgião" só vale para o masculino; o feminino é "cirurgiã". Então o feminino de "cirurgião-dentista" é "cirurgiã-dentista", cujo plural é "cirurgiãs-dentistas". E o plural de "cirurgião-dentista"? Como "cirurgião" admite dois plurais ("cirurgiões" e "cirurgiães"), é possível dizer "os cirurgiões-dentistas" ou "os cirurgiães-dentistas". Os dicionários dão "cirurgião-dentista" e "dentista" como meros sinônimos. Há ainda as formas "odontólogo" e "odontologista".

## O filhote "rói" ou "roe" o pé da mesa?

**04**
**DIA DO CÃO**

De que verbo se trata? Parece claro que estamos falando do verbo "roer". Filhotes de cão roem o que encontram pela frente. Pois bem, filhotes roem, e um só: "rói" ou "roe"? Não esqueça: os poucos verbos portugueses terminados em "-oer" ("doer", "roer", "moer", "condoer", "corroer", "remoer" etc.) apresentam a terminação "ói" (com acento agudo no "o") na terceira pessoa do singular do presente do indicativo: "mói", "dói", "rói", "remói" etc. Então, nada de "moe", "roe", "doe", "remoe" etc. Na terceira do plural, usa-se "e", sem acento no "o": "moem", "remoem", "roem", "doem" etc.

**05**
**DIA DA AVE**

## O gênero e o número de "avestruz"

Como se faz o plural de "avestruz"? Do mesmo modo que se faz o plural de qualquer palavra terminada em "z", como "luz", "raiz", "gravidez", "juiz": basta acrescentar "es". Vamos ao resultado: "luzes", "raízes", "juízes", "gravidezes. Sim, "gravidezes": "Suas duas gravidezes foram muito tranqüilas". O plural de "avestruz", portanto, só pode ser "avestruzes". E o gênero de "avestruz"? Essa palavra é masculina ou feminina? Tanto faz. Os dicionários registram as duas formas: "o avestruz" ou "a avestruz". É óbvio que no plural vale o mesmo raciocínio: "os avestruzes" ou "as avestruzes".

**06**
**DIA DO TECNÓLOGO**

## Há que cumprimentar os tecnólogos

Como se sabe, o verbo "haver" apresenta muitos significados ("existir", "julgar", "ocorrer/acontecer", "obter/conseguir" etc.). Seguida de infinitivo, a expressão "haver que" equivale a "ser preciso". "Há que cumprimentar", portanto, equivale a "É preciso cumprimentar". Esse uso, clássico, é encontrado neste exemplo de Vieira, citado por Celso Luft em seu "Dicionário Prático de Regência Verbal": "Não há que fiar em lágrimas". Em "Para Viver um Grande Amor", de Vinicius de Moraes, encontramos este exemplo: "Há que fazer do corpo uma morada...". Esse texto foi musicado por Toquinho. No "Dia do tecnólogo", portanto, há mesmo que cumprimentar cada uma deles.

## "Ela mesma compôs a canção?"

Quando modifica um substantivo ou pronome, a palavra "mesmo" deve variar de acordo com o termo modificado: "Ela mesma compôs a canção?"; "Eles mesmos compuseram a canção?"; "Elas mesmas compuseram a canção?". Quando se usa com o sentido de "realmente", "de fato", a palavra "mesmo" é invariável: "Ela compôs mesmo a canção?"; "Essa declaração foi mesmo uma tragédia". Por fim, convém lembrar que no português formal de hoje não se usa "mesmo" para substituir termo citado anteriormente. Frases como "Estive com a gerente, e a mesma me garantiu que..." ou "Antes de entrar no elevador, verifique se o mesmo se encontra..." devem ser evitadas.

**07**
**DIA DO COMPOSITOR**

**08**
**DIA DO NORDESTINO**

## Os adjetivos relativos a "Rio Grande do Norte" e a "São Luís"

O adjetivo que indica o lugar de origem chama-se "pátrio", mesmo que não se refira à pátria, mas a um Estado, cidade, bairro ou vila. Alguns dos adjetivos pátrios relativos aos nossos Estados têm origem indígena; outros estão ligados a algum fato histórico. Um catarinense, por exemplo, pode ser chamado de "barriga-verde", porque em determinada batalha os combatentes usavam uma espécie de lenço verde na barriga. "Potiguar" vem do tupi e significa "comedor de camarão", crustáceo que não falta por lá. E quem nasce na bela São Luís, capital do Maranhão? É são-luisense ou... Ou o quê? Prepare-se: "ludovicense". E de onde vem esse termo? Vem de "Ludovico", que, por sua vez, vem do germânico *Hlodoviko*, que gerou, em francês, a forma *Louis*, que corresponde a "Luís". Ufa! Quantas voltas! Mas é isso mesmo: o natural de São Luís (que se escreve com "s", e não com "z") é "são-luisense" ou "ludovicense".

## "Companhia" ou "compania"?

Muita gente pensa que existe diferença entre "companhia" e "compania". Em geral, pensa-se que "companhia" é "firma", "empresa"; "compania" seria "a presença de alguém", "o convívio com uma pessoa". Nada disso. "Compania" simplesmente não existe. A palavra é "companhia", para qualquer dos sentidos: "Trabalho em uma companhia multinacional"; "Sua companhia me faz bem, por isso gosto muito de estar com você". E sabe qual é a origem da palavra "companhia"? Essa palavra vem do latim e é da mesma família de "pão" (*cum* + *panis*). Já percebeu qual o sentido original, não? Sim, é esse mesmo: pessoas que dividem o pão e que, por isso, estão juntas, unidas.

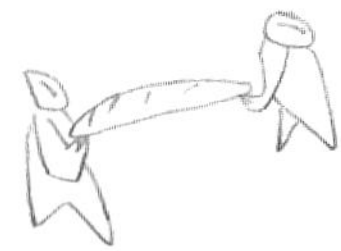

**09**

**DIA DO EMPRESÁRIO DA MICRO E PEQUENA EMPRESA**

**10**
**DIA DA HONESTIDADE**

## O significado e o antônimo de "probo"

Muitos políticos adoram usar as palavras "probidade" e "improbidade", sobretudo na expressão "(im)probidade administrativa". O substantivo abstrato "probidade" nomeia a qualidade de quem é "probo", ou seja, "honesto", "íntegro", "honrado". Quem age com "probidade" é "probo". "Probidade", portanto, é sinônimo de "honestidade", "honradez". A palavra "probo" vem do latim e, na origem, significa "que é bom", "que é de boa qualidade". O antônimo de "probo" é "ímprobo", palavra proparoxítona. "Ímprobo" é sinônimo de "trapaceiro", "vigarista", "desonesto", "inescrupuloso". Ao ler "ímprobo", você tomou cuidado com o acento? É melhor repetir: "ímprobo". A sílaba tônica dessa palavra é "ím". Nesse caso, ocorre o deslocamento da sílaba tônica, o que também se verifica em alguns plurais, como o de "lúcifer", que é "lucíferes", e o de "júnior", que é "juniores".

**11**
**DIA DO DEFICIENTE FÍSICO**

## O feminino de "deficiente físico"

O termo "deficiente" pode funcionar como substantivo ou como adjetivo. Em ambos os casos, "deficiente" é palavra de dois gêneros: "o deficiente", "a deficiente"; "homem deficiente", "mulher deficiente". E "físico"? Também é palavra de dois gêneros? Não é, não. Moral da história: o feminino de "deficiente físico" só pode ser "deficiente física": "Ele é deficiente físico"; "Ela é deficiente física".

## "Espontaneidade" ou "espontaniedade"?

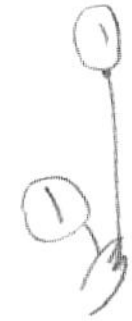

**12**
**DIA DAS CRIANÇAS**

Ninguém duvida de que as crianças são os seres mais espontâneos da face da Terra. Por falar nisso, qual é o nome da propriedade possuída por quem é espontâneo? É "espontaniedade" ou "espontaneidade"? Qual é a palavra primitiva, ou seja, a que dá origem à que pretendemos grafar e pronunciar corretamente? É "espontâneo", não? Então de "espontâneo" fazemos "espontaneidade", como de "simultâneo" fazemos "simultaneidade", de "contemporâneo" fazemos "contemporaneidade", de "idôneo" fazemos "idoneidade" e assim por diante. Por falar em "idôneo", tome cuidado com o atestado! Só pode ser de "idoneidade". De "idoniedade" é mais do que frio.

**13**
**DIA NACIONAL DO DINHEIRO**

## "Montante vultoso" ou "montante vultuoso"?

"Vultoso" deriva de "vulto" e significa "volumoso", "grande", "considerável". "Vultuoso" significa "acometido de vultuosidade", ou seja, "que tem o rosto e os lábios inchados, vermelhos, e os olhos salientes". Assim, um grande montante de dinheiro é "vultoso".

14
**DIA NACIONAL DA PECUÁRIA**

## A pecuária e o pecúlio

A pecuária diz respeito ao gado, à criação do gado. E pecúlio? Basicamente, é o dinheiro que se reserva para eventualidades futuras. Será coincidência "pecuária" e "pecúlio" começarem por "pecu"? Não se trata de nenhuma coincidência. As duas palavras vêm da mesma raiz latina ("pecu-", cujo significado é "gado" e, por extensão, "dinheiro", já que o gado tinha valor de moeda corrente). A esta altura, você talvez queira saber se "peculiar" é da mesma família. E é. "Peculiar" diz respeito a "pecúlio", por isso se refere ao que é próprio, particular de alguém.

15
**DIA DO PROFESSOR**

## Que faz um professor?

É muito simples: professa, do verbo "professar", que tem muitos significados, entre os quais o de "declarar", "manifestar" etc. Convém não esquecer que o "ato de professar" é "profissão": "Perante todos e na hora marcada, fez a prometida profissão". O professor, portanto, carrega no nome de sua atividade o que faz a cada instante. Viva o professor!

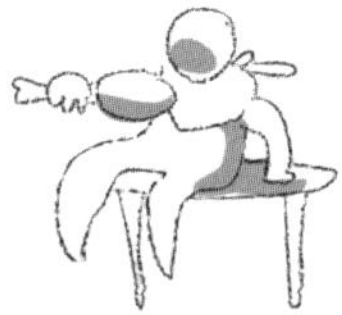

**16**

**DIA MUNDIAL DA ALIMENTAÇÃO**

## "Sentou-se na mesa para jantar" ou "Sentou-se à mesa para jantar"?

Quem se senta na mesa faz com ela, mesa, o que normalmente se faz com uma cadeira. Já entendeu, não? "Sentar-se na mesa" significa sentar-se sobre ela. Parece que, para jantar, as pessoas não fazem isso; sentam-se à mesa, ou seja, perto dela. Nesse caso, a preposição "a" (presente em "à", resultado de "a" + "a") indica idéia de proximidade.

**17**

**DIA INTERNACIONAL PARA A ELIMINAÇÃO DA POBREZA**

## O superlativo de "pobre"

Há algum tempo, uma leitora ouviu um repórter do "Fantástico" dizer o seguinte: "...vinha de uma família pobríssima...". "Esse termo é correto? Ou o certo seria dizer 'paupérrima'?", perguntou a leitora. Temos aí um caso do grau superlativo do adjetivo. "Pobre" vem do latim *paupere*. Há duas formas de superlativo: "paupérrimo", considerada erudita, porque se prende à raiz latina, e "pobríssimo", baseada na forma portuguesa do termo. Os dicionários acolhem a forma "pobríssimo", e alguns fazem a ressalva de que não se trata da flexão erudita. Esse processo se dá com vários adjetivos. De "negro", por exemplo, pode-se fazer "nigérrimo", forma erudita, ou "negríssimo"; de "doce", "dulcíssimo", forma erudita, ou "docíssimo".

**18**
**DIA**
**DO MÉDICO**

## Como se lê a palavra "cateter"?

Remar contra a maré é sempre muito complicado. São muito poucas as pessoas que dizem "catetér", com força na última sílaba. A grande maioria diz mesmo "catéter", com força na sílaba do meio ("té"). Procure nos dicionários. No "Aurélio", no de Caldas Aulete e no "Vocabulário Ortográfico da Língua Portuguesa", está clara a indicação da pronúncia, com uma observação feita entre parênteses ("tér"). A palavra é oxítona; se fosse paroxítona, seria escrita com acento agudo ("catéter"), já que todas as paroxítonas terminadas em "r" são acentuadas. A sílaba tônica é mesmo a última. O "Houaiss" faz esta observação: "A pronúncia postulada pelo étimo é oxítona, usada pelos médicos mais cultos, mas a predominante, pelo menos no Brasil, é a paroxítona". E então? Como se vê, a pronúncia que não causa discussão e que tem o abono de todos é a oxítona ("catetér"). Então, vá à luta e diga "catetér". Se tiver coragem, é claro.

## "A sua" ou "sua"? "Em" ou "por"?

**19**
**DIA DO SECURITÁRIO**

Certa vez, uma companhia de seguros veiculou um anúncio em que se lia isto: "A sua opção em resseguro". Muita gente me escreveu para perguntar se essa frase não deveria ser substituída por "Sua opção por resseguro"? Como se vê, são dois os questionamentos. O primeiro caso é muito simples. Em português, com possessivos, o artigo é optativo. Pode-se usar "sua opção" ou "a sua opção". O segundo caso é mais delicado. Em tese, faz-se uma opção por ("Fez a opção pelo curso noturno"), ou entre ("Precisa fazer a opção entre o noturno e o diurno"). O caso em questão, porém, é diferente. Parece tratar-se da opção em determinada situação, em determinado assunto, ou seja, em se tratando de resseguros, sua (ou a sua) opção é "x", ou "y".

## "Súbita rajada forte"

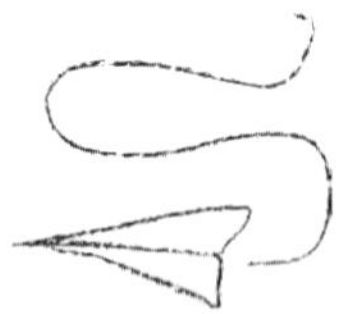

**20**
**DIA DO CONTROLADOR DE TRÁFEGO AÉREO**

Em matéria que comentava as possíveis causas de um acidente aéreo, um jornal publicou o seguinte trecho: "...causado por uma súbita rajada forte de vento...". Que significa "rajada"? O "Aurélio" diz que "rajada" é "aumento repentino, temporário e forte da intensidade com que o vento sopra". Se "rajada" é aumento repentino...", uma "súbita rajada forte de vento" é expressão redundante. Como se sabe, a "redundância" é o emprego de termos que traduzem idéia já contida em termo ou passagem anterior ("É preciso criar novos empregos"; "O elo de ligação" etc.).

**21**
**DIA DA CRIAÇÃO DA ESQUADRILHA DA FUMAÇA**

## "Sub-oficial" ou "suboficial"?

A Esquadrilha da Fumaça encanta! Quem não se lembra de tê-la visto passar, cortando os céus deste imenso Brasil? Pois bem, a gloriosa Esquadrilha da Fumaça está ligada à Aeronáutica, em cuja hierarquia existe o grau de "oficial", abaixo do qual está o de "sub...". E agora? É "sub-oficial" ou "suboficial"? O prefixo "sub" só exige hífen quando agregado a palavras que começam com "b" ou "r": "sub-bibliotecário", "sub-região", "sub-bosque", "sub-base", "sub-brigadeiro", "sub-branquial", "sub-regional", "sub-repartição", "sub-remunerado", "sub-reitor" etc. Nos demais casos, nada de hífen: "subabdominal", "suboficial", "subitem", "subumano" (desaparece o "h" de "humano", o que também ocorre "desumano"), "subdelegado", "sub-chefe", "subsolo" etc.

**22**
**DIA INTERNACIONAL DO RADIOAMADOR**

## "Radioamador" ou "radiamador"?

A forma mais usada certamente é "radioamador", palavra que resulta de "rádio" + "amador". Os dicionários, no entanto, registram também a forma "radiamador", em que se suprime a última letra ("o") do primeiro elemento ("rádio"). É bom lembrar que, qualquer que seja a escolha, o acento de "rádio" não permanece na palavra composta. Tanto em "radiamador" quanto em "radioamador", a sílaba tônica é "dor". Veja outros exemplos de palavras que admitem duas formas: "hidroelétrica" e "hidrelétrica", "gastroenterologista" e "gastrenterologista", "hidroavião" e "hidravião" etc.

## "Mais informações" ou "Maiores informações"?

Você certamente já leu ou ouviu – sobretudo em propagandas – a expressão "Maiores informações": "Para maiores informações, ligue para o número tal". Na verdade o leitor (ou ouvinte) quer outras informações, mais informações, maior quantidade de informações, e não informações maiores, de tamanho maior. O que se deve dizer é "mais informações", ou "outras informações".

**23**
**DIA MUNDIAL DA INFORMAÇÃO**

## "O Conselho de Segurança da ONU interviu" ou "interveio"?

Ao pé da letra, "intervir" (que vem do latim *intervenire*) significa "vir entre". De fato, quem intervém vem e se põe no meio, ou seja, entre. A conjugação de "intervir" segue a de "vir" (em todos os tempos e modos). No presente do indicativo, por exemplo, temos "eu venho/intervenho", "tu vens/intervéns", "ele vem/intervém" etc. No pretérito perfeito, "eu vim/intervim", "tu vieste/intervieste", "ele veio/interveio". No futuro do subjuntivo, temos "Se/Quando eu vier/intervier", "Se/Quando eles vierem/intervierem". A forma correta, portanto, é "O Conselho de Segurança da ONU interveio".

**24**
**DIA DAS NAÇÕES UNIDAS**

**25**
**DIA DA DEMOCRACIA**

## "Faça o que você quizer"

Nas democracias, existe liberdade de expressão, de pensamento, de ação. É possível fazer o que se quiser fazer, desde que isso não signifique o desrespeito dos direitos dos outros. E, por falar em "quiser", é bom lembrar que o verbo "querer" simplesmente não apresenta a letra "z", em nenhuma de suas formas. Esqueça o "z" quando conjugar esse verbo: "quis", "quiseram", "quisesse", "quiser", "quisemos", "quisessem", "quiserem", "quisermos". E cuidado quando usar o nome de Deus. Escreva "Se Deus quiser", com "s".

## "Casas de alvenaria"

"Alvenaria" é apenas mais uma das tantas palavras árabes de nossa língua. "Alvenaria" vem de "alvener", que significa "aquele que constrói", "pedreiro". Os dicionários registram uma lista bem grande de sinônimos de "alvener": "albanel", "alvaner", "alvanéu", "alvanil", "alvanir", "alveneiro" etc.

**26**
**DIA DO TRABALHADOR DA CONSTRUÇÃO CIVIL**

## "Só porque conheceu a família real, tornou-se pretensioso"

Notou bem? "Pretensioso" se escreve com "s", embora muita gente sapeque um "z" nessa palavrinha danada. De onde vem a confusão? Certamente vem da grafia de "malicioso", "tendencioso", "ganancioso" etc., que se escrevem com "c", porque derivam de "malícia", "tendência" e "ganância", respectivamente. O caso de "pretensioso" é um pouco diferente: essa palavra vem de "pretensão", que se escreve com "s". Moral da história: "pretensioso" se escreve com "s".

**27**
**DIA DO PRINCIPADO DO BRASIL**

**28**

**DIA DA FÉ NAS CAUSAS IMPOSSÍVEIS**

## "Agir com fé" ("aja" e "haja")

"Fé", "fiel" e "fidelidade" são palavras cognatas, ou seja, fazem parte da mesma família, têm raiz comum. Todas têm relação com a palavra latina *fides*. Quem tem fé é fiel; quem é fiel age com fidelidade. "Aja com fé" dizem os que têm fé. Pois bem, essa história é ótima para que se analise com cuidado uma velha dupla de palavras: "aja" e "haja". "Aja" é do verbo "agir"; "haja" é do verbo "haver". O que talvez cause estranheza em "aja" é a letra "j", inexistente no infinitivo de "agir". O "g" desse verbo (e o de "fugir", "dirigir", "redigir", "divergir", "corrigir" e "fingir", entre outros) precisa ser trocado por "j" em certas flexões. Na primeira pessoa do singular do presente do indicativo, por exemplo, é fundamental trocar o "g" do infinitivo por "j": "eu ajo", "corrijo", "redijo" etc. No presente do subjuntivo, também é preciso trocar o "g" por "j": "Quero que você corrija o trabalho", "Ela espera que eu redija a carta" etc. Em "aja" temos o mesmo processo: "Espero que ela aja logo"; "Nessas situações, não hesite; aja!". A forma "haja", como já vimos, é do verbo "haver": "Haja paciência!"; "Caso não haja nenhum interessado, o leilão será adiado". Por fim, convém lembrar que não existem verbos terminados em "jir" (com "j"). Bem, se você tem fé, aja com ela. E aja com "j".

## Os livros custam caro

Quando modificam substantivos, "caro" e "barato" têm singular, plural, masculino e feminino: "Os livros são caros"; "As meias são caras"; "Ela só compra roupas baratas"; "Trouxe móveis barato". Quando modificam verbos, "caro" e "barato" não variam: "As roupas custam caro"; "Paguei barato esses livros". Uma boa dica, no segundo caso, é lembrar que "caro" pode equivaler a "muito", "muito dinheiro" ou "por muito dinheiro", e "barato" pode equivaler a "pouco", "pouco dinheiro" ou "por pouco dinheiro" ("As roupas custam caro/custam muito/custam muito dinheiro"/ "Aquela loja vende barato os discos/vende os discos por pouco dinheiro").

**29**
**DIA NACIONAL DO LIVRO**

## O parto é "cesáreo" ou "cesário"?

Eis uma armadilha danada. O parto é "cesáreo", com "e", ou "cesariano", com "i". É claro que o feminino de "cesáreo" é "cesárea": "Aquele médico faz uma cesárea por dia". E é claro que o masculino de "cesariana" é "cesariano": "Não se aconselha o parto cesariano desnecessário". Então o parto é "cesáreo" ou "cesariano". Por falar em parto, é bom lembrar que existe aquele feito a "fórceps", instrumento cirúrgico. Detalhe: existe a forma variante "fórcipe". O parto pode ser "a fórceps" ou "a fórcipe".

**30**
**DIA NACIONAL DO GINECOLOGISTA**

**31**
**DIA DAS BRUXAS**

## O bruxismo e o bruxismo

No dia das bruxas, bruxarias acontecem. E como! Bem, brincadeiras à parte, permita-me perguntar-lhe: estranhou a repetição ("bruxismo" e "bruxismo")? Como você leu as duas palavras? Não houve engano, não, nem erro de impressão ou digitação. Segundo o "Houaiss", há duas maneiras de ler "bruxismo". Quando se lê "bruchismo", fala-se da crença em bruxas e em bruxarias. Quando se lê "brucsismo", fala-se de um termo técnico, relativo a uma psicopatologia. O mesmo "Houaiss" diz que a forma preferencial não é "bruxismo", é "briquismo", cuja definição é esta: "Rilhar espasmódico dos dentes, não funcional, que ocorre mais freqüentemente durante o sono, geralmente devido a fatores psiconeuróticos ou à oclusão imperfeita da dentadura". Segundo o "Houaiss", a palavra "briquismo" vem de uma raiz grega que significa "ranger os dentes". A forma "bruxismo" ("brucsismo") vem do aportuguesamento do vocábulo inglês *bruxism*, formado a partir da mesma raiz grega de *briquismo*.

# NOVEMBRO

01
**DIA DE TODOS OS SANTOS**

## "Todos os santos" ou "todos santos"?

Quando se usa artigo depois de "todos"? E depois de "todo"? Vamos começar pelo singular ("todo"). Nesse caso, o artigo faz muita diferença: "Ela trabalha todo o dia" é bem diferente de "Ela trabalha todo dia". No primeiro caso (com o artigo), quer-se dizer que ela trabalha o dia inteiro; no segundo (sem o artigo), quer-se dizer que ela trabalha dia sim, dia também, ou seja, que ela não tem folga. No plural, a história muda, já que o artigo é obrigatório: "Ela trabalha todos os dias" (e não "Ela trabalha todos dias"). Moral da história: "Todos os santos são celebrados no dia 1° de novembro" (e não "Todos santos são celebrados...").

NOVEMBRO

02
**DIA DE FINADOS**

## Tristeza é "pesar" ou "pezar"?

Certa vez, um leitor disse que viu em uma publicação a palavra "pezar", com "z", como sinônimo de "tristeza, desgosto". Os dicionários não registram essa grafia. Só existe "pesar", com "s", para qualquer dos significados da palavra. Então "pesaroso", derivada de "pesar", mantém o "s". É interessante saber que a palavra "pêsames", plural de "pêsame", vem da forma verbal "pesa", associada ao pronome "me" ("pesa-me"). No caso, o verbo "pesar" tem o sentido de "causar desgosto": "Pesa-me muito vê-lo sofrer". De "pesa-me" surgiu "pêsame", hoje mais comum no plural ("pêsames").

## “Não te esqueci, eu to juro”

**03**
**DIA**
**DA MORTE DE GONÇALVES DIAS**

Num de seus mais belos poemas (“Ainda Uma Vez – Adeus”), o grande poeta maranhense Gonçalves Dias escreveu estes versos: “Não te esqueci, eu to juro: / Sacrifiquei meu futuro, / Vida e glória por te amar!”. Pois bem, o que é esse “to”? Esse “to” nada mais é do que a combinação de dois pronomes (“te” e “o”). O pronome “te” representa o interlocutor, a mulher a quem o poeta dirige a mensagem e que recebe o tratamento em segunda pessoa do singular (tu); o pronome “o” (que, no caso, equivale a “isso”) representa a oração “Não te esqueci”. “Não te esqueci, eu to juro” equivale a “Não te esqueci, eu te juro isso”. A combinação de “te” com “o” não é a única possível. Pode-se, por exemplo, combinar o pronome “me” com “o” ou “a”. O resultado é “mo” e “ma”, respectivamente: “Sei que ela virá. Ela mesma mo garantiu” (“Ela mesma me garantiu isso”). Também se pode combinar o pronome “nos” com “o” ou “a”. O resultado disso é “no-lo” (“no-la”): “O troco? Ainda não no-lo deram”. Que tal dizer isso por aí hoje em dia? Essas combinações de pronomes são comuns até hoje em Portugal, não só na linguagem escrita, mas também na falada no dia-a-dia. No Brasil, aparecem em textos literários escritos até as quatro ou cinco primeiras décadas do século passado.

**04**

**DIA DO INVENTOR**

## “O inventor já foi informado do patenteamento de sua obra?”

Na frase que você acabou de ler, é possível substituir “informado” por “comunicado”? Em termos de língua padrão, não é. E por quê? Porque não se comunica alguém de algo; comunica-se algo a alguém: “O secretário comunicou o fato ao governador”. Na passagem para a voz passiva, o exemplo visto teria a seguinte redação: “O fato foi comunicado ao governador pelo secretário”. O verbo “informar”, que é diferente, admite duas construções: “Alguém informa algo a alguém”; “Alguém informa alguém de algo”. Na voz passiva, também são possíveis duas construções: “Algo é informado a alguém”; “Alguém é informado de algo”.

**05**

**DIA NACIONAL DA CULTURA**

## Na televisão brasileira, a programação cultural ainda é exceção

“Exceção” ou “excessão”? Como diz um velho e querido amigo, “exceção não é um excesso grandão”. Já percebeu, não é? “Exceção” se escreve com “ç”; “excesso”, com ss. Outra palavra que muita gente erra é “beça”, que se usa na expressão “à beça”. Nada de “ss” em “à beça”: “Depois de trabalhar duro o dia todo, caiu na cama e dormiu à beça”.

## "A República de Piratini existiu de 1836 a 1845"

Ou será que existiu de 1836 à 1845? Vamos pensar juntos. O que é "à"? É o resultado de "a+a", certo? O primeiro "a" é preposição; o segundo quase sempre é artigo. Artigo feminino, é claro. Será que a expressão "mil oitocentos e quarenta e cinco" é feminina e singular, para admitir artigo feminino e singular? Certamente não. Note que antes de "1836" apareceu "de", que é apenas uma preposição, ou seja, não apareceu "da" (de+a), o que significa que não existe artigo. E, se não existe artigo para "1836", por que é que vai existir para "1845"? Moral da história: essa república existiu de 1836 a 1845, sem acento indicador de crase.

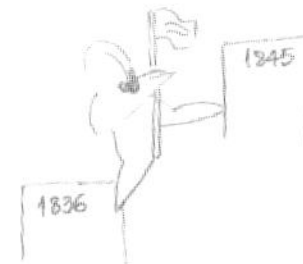


**06**

**PROCLAMAÇÃO DA REPÚBLICA DE PIRATINI, NO RIO GRANDE DO SUL (1836)**

## O verbo e o "se"

No poema "Humildade", Cecília Meireles escreveu: "Livros que não se lêem / Cartas que não se escrevem / Amigos que não se vêem / Abraços que não se dão". Por que os quatro verbos foram postos no plural? Porque foi empregada a voz passiva sintética. Estruturalmente, "Livros que não se lêem" equivale a "Livros que não são lidos"; "Cartas que não se escrevem" equivale a "Cartas que não são escritas"; "Amigos que não se vêem" equivale a "Amigos que não são vistos" e "Abraços que não se dão" equivale a "Abraços que não são dados".

**07**

**NASCIMENTO DE CECÍLIA MEIRELES (1901)**

**08**

**DIA DO PROFISSIONAL DE CONSÓRCIO**

## "Prestações menores que um plano normal"

A frase que você acaba de ler estava numa peça publicitária do consórcio de uma das grandes fábricas de automóveis do país: "Prestações menores que um plano normal". O que se compara? Teoricamente, comparam-se as prestações de um plano de consórcio com as prestações de outro plano de consórcio. Ao pé da letra, no entanto, nessa mensagem publicitária se comparam coisas diferentes: prestações e plano. Vamos corrigir o texto: "Prestações menores que as (prestações) de um plano normal". Na frase publicitária, portanto, basta pôr "as de". Parece que a indústria automobilística adora cair nessa armadilha. Uma peça publicitária de uma delas dizia isto: "Nunca o conforto de uma picape se aproximou tanto de um automóvel". O que se compara? Ao pé da letra, compara-se conforto de picape com automóvel. É bom repetir: ao pé da letra, compara-se conforto com automóvel. É óbvio que a intenção é comparar conforto com conforto, ou seja, conforto de picape com conforto de automóvel, mas "de boas intenções o inferno está cheio", diz o dito popular. Vamos corrigir o texto: "Nunca o conforto de uma picape se aproximou tanto do de um automóvel".

## "A modelo está com baixa auto-estima"

Ou será que está com "baixo auto-estima", como se viu certa vez numa importante publicação? Palavras formadas por prefixação ("auto-" é um prefixo) mantêm o gênero da palavra à qual se agrega o prefixo. No caso de "auto-estima", vale o gênero de "estima", palavra feminina: a auto-estima, muita auto-estima, pouca auto-estima, baixa auto-estima etc. É bom lembrar que o prefixo "auto-" só se agrega com hífen a palavras que começam com "h", "r", "s" e vogal: auto-hemoterapia, auto-retrato, auto-serviço, auto-análise. Nos demais casos, nada de hífen: autotransformação, autocontrole etc.

**09**
**DIA DO MANEQUIM**

## A derrubada do muro de Berlim foi transmitida ao vivo

Posta num canto qualquer da tela, a forma "vivo" surgiu na televisão brasileira depois que canais americanos passaram a exibir a palavra *live*, que corresponde a "ao vivo". Talvez por influência da forma inglesa ou pelo fato de que "vivo" ocupa na tela menos espaço do que "ao vivo", várias das nossas emissoras acabaram optando por "vivo". A expressão portuguesa é "ao vivo". Embora se lesse "vivo" na tela de muitas emissoras, jamais se ouviu nenhum profissional de televisão informar que determinado jogo seria transmitido "vivo". Pudera! Se a transmissão é feita ao vivo, não faz sentido escrever "vivo".

**10**
**INÍCIO DA DERRUBADA DO MURO DE BERLIM (1989)**

**11**
**DIA NACIONAL DO SUPERMERCADO**

## O supermercado e o hipermercado

Qual é o significado do prefixo latino "super-"? O mesmo do prefixo grego "hiper-": "sobre", "por cima", "superiormente", "muito" etc. No Brasil, no entanto, ocorreu algo particularmente interessante: fizemos o hipermercado ser maior do que o supermercado. É mais ou menos como querer que "anticoncepcional" seja diferente de "contraceptivo". Não é. Nessas duas palavras, temos prefixos que traduzem a mesma idéia: o grego "anti-" e o latino "contra-", que indicam idéia de oposição. É bom lembrar que os prefixos "hiper-" e "super-" só se agregam com hífen a palavras iniciadas por "h" ou "r", portanto palavras como "hiperacuidade", "hiperatividade", "superexigente" e "superatleta" são escritas sem hífen. "Hipermercado" e "supermercado" também se escrevem sem hífen.

**12**
**DIA DO DIRETOR DE ESCOLA**

## "Ele tornou possíveis todos os meus sonhos"

Ou será que ele tornou "possível" todos os meus sonhos? A forma correta é "possíveis". Esse adjetivo se refere a "sonhos", que está no plural. Afinal, os sonhos é que se tornaram possíveis. Então "Ele tornou possíveis todos os meus sonhos". Caso semelhante é o de "A Prefeitura não mantém limpas as ruas", em que o adjetivo "limpas" se refere a "ruas". Seria incorreto o emprego de "limpo". Quer mais um exemplo? Vamos lá: "Deixei claras as minhas propostas" (e não "Deixei claro as minhas propostas").

**13**
**DIA DE PORTO ALEGRE, RS**

## O pronome "tu"

Na língua do dia-a-dia, o pronome "tu" é usado em várias regiões do Brasil com o verbo na terceira do singular: "tu foi", "tu fez"; "tu riu"; "tu abusou" etc. No Rio Grande do Sul, sobretudo entre os jovens, também ocorre esse uso. Os gaúchos mais velhos, no entanto, costumam empregar o pronome "tu" com o verbo conjugado na segunda pessoa do singular, o que vai ao encontro do que preceitua a língua culta: "tu vais, ele vai"; "tu foste, ele foi"; "tu riste, ele riu". Não custa lembrar que, quando se acrescenta "s" a "foste", "falaste", "trouxeste", o que se faz é conjugar a segunda pessoa do plural: "vós fostes, vós falastes, vós trouxestes".

**14**
**DIA DOS BANDEIRANTES**

## O feminino de "cavaleiro"

As "bandeiras" foram expedições do Brasil colonial. Viajando território nacional adentro, seu objetivo era capturar indígenas e localizar jazidas de metais e pedras preciosas. Os integrantes das bandeiras eram chamados de bandeirantes. Como as bandeiras saíam de São Paulo, o termo "bandeirante" acabou tornando-se sinônimo de "paulista". Pois bem, como viajavam os bandeirantes? Basicamente, a cavalo. E quem monta a cavalo é cavaleiro, cujo feminino é... É "amazona". É bom lembrar que "dama" é o feminino de "cavalheiro".

# 15
**DIA DA PROCLAMAÇÃO DA REPÚBLICA**

## "A sanção presidencial"

Onde há república, há presidente. E, muitas vezes, o presidente sanciona leis, ou seja, dá sua sanção às leis. Nesse caso, "sanção" equivale a "aprovação", mas pode ser usada com outro sentido, como se vê na frase: "O advogado da empresa mandou ao devedor uma carta em que constavam as sanções a que estão sujeitos os que pagam com atraso". Como se vê, "sanção" pode ser a parte da lei que trata das penas a que estão sujeitos os que não a cumprem. E pode ser o ato pelo qual o chefe de Estado aprova uma lei votada pelo Parlamento. Sabe de onde vem "sanção"? Vem do latim (*sanctio*, *sanctione*, *sanctionis*) e é da mesma família de "santo". O significado etimológico de "sancionar" é "tornar sagrado", "tornar santo", "tornar respeitado". Moral da história: quando o presidente sanciona, "torna sagrado", ou seja, torna lei, torna respeitado ou respeitável. As sanções impostas por uma lei ou contrato fazem parte desse ritual de "sacratização". Aliás, antes que me esqueça, é comum no dia-a-dia o uso da palavra "sagrado" em casos como o desta frase: "Toda vez que ele me liga, fala mal de mulher. É sagrado!". Por que é "sagrado"? Porque faz parte do ritual, ou seja, faz parte da "lei" da conversa dessa pessoa.

## Fulano, beltrano e sic...

**16**
**DIA DA TRADIÇÃO ORAL**

Certas expressões são muito mais comuns na língua oral do que na escrita. Muita coisa que se fala raramente se escreve. Um desses casos é o da seqüência “fulano, beltrano e sic...”. E agora? Com “l” ou com “r”? Bem, talvez você tenha estranhado o “s” no início dessa palavra (ainda incompleta). Muita gente talvez apostasse bons tostões no “c”, mas a letra inicial é mesmo “s”: “sic...”. E então? É com “r”: “sicrano”. O saudoso poeta e professor de literatura Antônio Carlos de Britto, mais conhecido como Cacaso, escreveu a letra de “Lero-Lero” (com música de Edu Lobo), em que se encontra esta passagem: “Brasileiro, de estatura mediana, gosto muito de fulana, mas sicrana é quem me quer...”. Sicrana? Sim. O terceiro elemento dessa seqüência tão comum na tradição oral brasileira é “sicrano”, com s e com r: fulano, beltrano e sicrano. Em tempo: “fulano” vem do árabe (significa “alguém”, “um certo alguém”); “beltrano” vem de “Beltrão”, transformado em “beltrano” para rimar com “fulano”; “sicrano” é de origem incerta.

**17**
**DIA DA CRIATIVIDADE**

## "Criar" e "crear"

Até o início do século XX, alguns gramáticos e dicionaristas defendiam a distinção entre "criar" e "crear". A primeira ("criar") significaria "alimentar", "fazer crescer"; a segunda, "gerar ou inventar do nada". Sob essa ótica, portanto, os artistas "creavam" suas obras, enquanto pais e mães criavam seus filhos. Durante muito tempo, fábricas de roupas ou de sapatos usaram em seus nomes a expressão "creações" ("Creações Regina", por exemplo). Os defensores dessa distinção perderam espaço há um bom tempo, mas muita gente de alguma idade ainda insiste em dizer que a diferença existe. Não existe. A única forma registrada é "criar", de cuja família fazem parte "criação", "criador", "criatura", "criatividade" etc.

**18**
**MORTE DE ALEIJADINHO (1814)**

## "Aleijadinho morreu há 189 anos"

"Há 189 anos" ou "a 189 anos"? Essa dúvida é uma pedra no sapato de muita gente. Afinal, como saber qual é a forma correta? Há uma dica muito simples: esse "há" equivale a "faz", ou seja, pode-se dizer "Faz 189 anos que Aleijadinho morreu". É como "Moro aqui há oito anos", que equivale a "Faz oito anos que moro aqui".

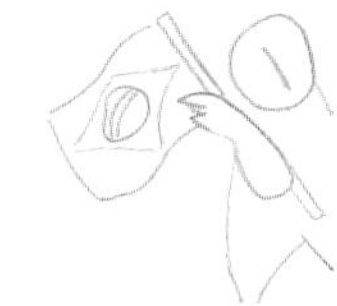

**19**
**DIA DA BANDEIRA NACIONAL**

## "Tua nobre presença à lembrança A grandeza da Pátria nos traz!"

Os dois versos destacados são da letra do Hino à Bandeira, escrita pelo poeta Olavo Bilac (a música é de Francisco Braga). Pois bem, "traz" e "trás" são coisas bem diferentes. Muita gente escreve "traseira" com "z" ("trazeira"). Não existe "trazeira". Um automóvel pode sofrer danos na parte traseira, por exemplo. A parte traseira corresponde à parte de trás. As palavras "trás", "traseiro", "atrasar", "atrasado", "atraso", entre outras, são da mesma família, por isso todas se escrevem com "s". "Traz" (com "z") é a terceira pessoa do singular do presente do indicativo do verbo "trazer": "Tua nobre presença à lembrança/A grandeza da Pátria nos traz".

**20**
**DIA DA DECLARAÇÃO DOS DIREITOS DA CRIANÇA**

## O adjetivo relativo a "criança"

Antigamente, eram comuns os centros de puericultura. Lembro bem que, em criança, tomava minhas vacinas num posto (público) de puericultura. Que fim terão levado esses postos? Bem, o que significa "puericultura"? De onde vem essa palavra? Vem do latim; vem de *pueri*, que significa "criança". O adjetivo relativo a "criança" é "pueril", "infantil". Quem tem comportamento de criança, por exemplo, tem comportamento pueril, infantil. Em São Paulo, há uma famosa escola cujo nome é "Pueri Domus", que, em português, equivale a "Morada da Criança". Por falar em "infantil", convém lembrar que esse adjetivo (que também vem do latim) se refere a "infante", "infância". Sabe qual é o significa literal de "infante"? Anote aí: "que não fala".

**21**
**DIA DAS SAUDAÇÕES**

## A concordância com "parabéns"

Como se faz a concordância com "parabéns"? Que se diz: "meu parabéns" ou "meus parabéns"? Por incrível que pareça, "parabéns" é plural de "parabém". O dicionário "Aurélio" dá este exemplo, de "Dom Casmurro", obra de mestre Machado de Assis: "...um parabém da flora universal traz sensações mais íntimas e finas que qualquer outro". Na língua de hoje, só se usa o plural ("parabéns"). Toda a concordância deve ser feita no plural: "os parabéns", "nossos parabéns", "meus sinceros parabéns". A concordância verbal também deve ser feita no plural: "Foram sinceros os parabéns que ele me deu".

**22**
**DIA DA MÚSICA**

## "Agora eu era herói"

Nossa música e suas riquezas! A memorável canção "João e Maria" (música de Sivuca e letra de Chico Buarque) começa assim: "Agora eu era herói, e o meu cavalo só falava inglês...". Que tal o emprego de "agora"? Essa palavra não faz referência ao momento presente? "Agora" pode, sim, equivaler a "neste momento", mas também pode equivaler a "nesse momento" ou "naquele momento", como atestam os dicionários. O "Houaiss" dá este exemplo: "Esgotara suas energias, agora só queria descansar". O "Aurélio" dá este, de Machado de Assis: "Agora exercia a medicina como amador". A frase da bela letra de Chico Buarque é perfeitamente vernácula, ou seja, é perfeitamente conforme ao idioma.

## As águas dos rios e as águas das chuvas

**23**

**DIA DO RIO**

É preciso tomar cuidado para não confundir as águas dos rios ("fluviais") com as das chuvas ("pluviais"). A raiz (latina) de "fluvial" é a mesma de "fluminense", que, não por acaso, é o adjetivo relativo ao Estado do Rio de Janeiro. A raiz de "pluvial" também é latina e se encontra, por exemplo, em "pluvioso" ("chuvoso"), "pluviômetro" ("instrumento que mede a quantidade de chuva") etc.

**24**

**D. PEDRO I PARTE PARA A GUERRA PLATINA, NO URUGUAI (1825)**

**NOVEMBRO**

## O verbo "explodir"

Tradicionalmente, o verbo "explodir" aparece nas gramáticas e dicionários brasileiros como defectivo (verbo de conjugação incompleta, verbo que não é conjugado em todas as formas). Nesses registros, o presente do indicativo de "explodir" começa na segunda pessoa do singular ("tu explodes, ele explode, nós explodimos..."), e, conseqüentemente, o presente do subjuntivo é dado como inexistente. De acordo com esses registros, portanto, formas como "explodo", "expludo", "exploda" ou "expluda" são inexistentes. A última edição do "Aurélio" (de 1999) mantém essa posição, mas o "Houaiss" (lançado em 2001) já registra o largo uso de "explodir" como verbo de conjugação completa ("eu explodo, tu explodes..."; "que eu exploda, que tu explodas, que ele exploda..."). Esse importante dicionário faz esta observação: "Este verbo, geralmente considerado defectivo, tem sido usado com conjugação completa, ocorrendo também a forma expludo para a primeira pessoa do singular do presente do indicativo e, portanto, para o presente do subjuntivo". Na verdade, com a observação "e, portanto, para o presente do subjuntivo", o dicionário quer dizer que a raiz de "expludo" aparece em "que eu expluda, que tu expludas, que ele/a expluda...", que alguns adotam como flexões do presente do subjuntivo. E agora? Você decide: se quiser ficar com a tradição, trate "explodir" como defectivo; se quiser levar em conta o fato de que ele tem sido usado como verbo de conjugação plena, flexione-o em todos os tempos, modos e pessoas.

## Qual é o plural de "doador universal"?

Não se trata de palavra composta. Considerados isoladamente, os dois vocábulos mantêm sua significação e, portanto, não formam um composto. O que temos aqui é o substantivo "doador", modificado pelo adjetivo "universal". Como o adjetivo deve concordar com o substantivo, o plural da expressão é "doadores universais". Simples, não?

**25**
**DIA MUNDIAL E NACIONAL DO DOADOR DE SANGUE**

## "Vossa Excelência" e "Sua Excelência"

Quando usar "Vossa Excelência" e "Sua Excelência"? De início, é preciso lembrar que a forma "Excelência" é empregada para autoridades constituídas (vereador, deputado, senador, ministro, prefeito, governador etc.). A decisão entre "Sua" e "Vossa" é simples: usa-se "Vossa" quando se fala com a autoridade, e "Sua" quando se fala dela. Assim, que dialoga ou debate com uma das autoridades às quais caiba a forma de tratamento "Excelência" deve-se dirigir-se a ela empregando a forma "Vossa Excelência" ("Vossa Excelência sabe que eu jamais assinaria esse projeto"). Quando alguém conversa com quem quer que seja a respeito de uma pessoa (presente ou ausente) que faça jus à forma de tratamento "Excelência", referir-se-á a ela empregando "Sua Excelência" (Por favor, diga a Sua Excelência que hoje..."). Moral da história: usa-se "Vossa Excelência" para falar com a autoridade. Para falar da autoridade, usa-se "Sua Excelência".

**26**
**DIA DO MINISTÉRIO PÚBLICO**

27

DIA NACIONAL DA LUTA CONTRA O CÂNCER

## A ciência que estuda o câncer

O ramo da medicina que estuda o câncer chama-se "oncologia", palavra formada por dois elementos gregos, um dos quais ("-logia") é bastante conhecido. O primeiro ("onco-"), que originariamente significa "volume", "massa", "molécula", tem modernamente o sentido de "tumor", "câncer".

28

DIA DO SOLDADO DESCONHECIDO

## "O soldado havia ganhado uma medalha"

Ou será que o soldado havia "ganho" uma medalha? Tanto faz. E por quê? Vamos lá: "ganhar" é um dos vários verbos de nossa língua que têm duas formas de particípio ("ganhado" e "ganho"). Estão nesse caso os verbos "aceitar" ("aceitado" e "aceito"), "expulsar" ("expulsado" e "expulso"), "entregar" ("entregado" e "entregue"), "salvar" ("salvado" e "salvo"), "soltar" ("soltado" e "solto"), "prender" ("prendido" e "preso"), "suspender" ("suspendido" e "suspenso") e tantos outros. Normalmente, emprega-se o particípio regular (o que termina em "-ado" ou "-ido") com os auxiliares "ter" ou "haver" ("Ele tinha prendido o cachorro"; "O ladrão tinha soltado o refém") e o irregular (o que não termina em "-ado" ou "-ido") com "ser" e "estar" ("O assaltante foi preso"; "O refém será solto"). Não são poucos, no entanto, os particípios irregulares que se empregam com "ter" e "haver". As formas "pago", "ganho" e "gasto" estão nessa lista. Com os auxiliares "ter" e "haver", registra-se o emprego das duas formas de particípio de "pagar", "ganhar" e "gastar": "A empresa não tinha pagado/pago os impostos"; "Aos vinte anos, ele já tinha ganhado/ganho mais de um milhão em prêmios"; "Dez minutos depois de receber o dinheiro, ela já tinha gastado/gasto mais da metade".

## Os "homens-bomba"

Infelizmente, a paz no Oriente Médio ainda é um sonho. Com uma freqüência estarrecedora, suicidas fazem voar prédios e pessoas inocentes. São "homens-bomba". Ou serão "homens-bombas"? Vejamos: "homem-bomba" é substantivo composto, formado por dois substantivos. O segundo substantivo ("bomba") limita a extensão do primeiro, já que indica idéia de finalidade. O homem se "transforma" em bomba, já que sua intenção é agir como explosivo. Nesses casos (e também naqueles em que o segundo substantivo indica semelhança, como ocorre em "peixe-boi"), há alguma controvérsia entre os gramáticos. Alguns sugerem que só se flexione o primeiro elemento: "os homens-bomba", "os peixes-boi", "as mangas-rosa", "os navios-escola". Outros dizem que a tradição da língua sugere que só se flexione o primeiro, mas não deixam de fazer referência ao fato de que modernamente é comum a flexão dos dois elementos ("os homens-bombas", "os peixes-bois", "as mangas-rosas", "os navios-escolas"). Moral da história: a tradição da língua recomenda o emprego de "homens-bomba", mas a forma "homens-bombas" é perfeitamente possível.

**29**

**DIA INTERNACIONAL DA SOLIDARIEDADE COM O POVO PALESTINO**

**30**
**DIA DO PATRONO**

## O feminino de "patrono"

A palavra "patrono" tem vários significados, um dos quais é o de "indivíduo escolhido por uma turma que cola grau para tutelá-la e que recebe homenagens na cerimônia de formatura" ("Houaiss"). Pois bem, quando esse indivíduo é uma mulher, que termo se usa? No Brasil, parece consagrado o termo *patronesse*, de origem francesa. As edições recentes dos nossos dicionários já acolhem a forma *patronesse* com o referido sentido.

# DEZEMBRO

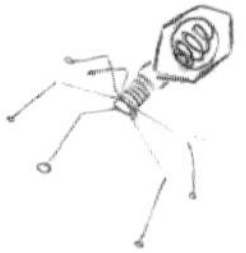

**01**
**DIA MUNDIAL DO COMBATE À AIDS**

## O plural de "vírus"

O plural de "vírus" é "vírus" mesmo. Palavras que no singular terminam em "us" não são muito abundantes em nossa língua. O plural das pouquíssimas oxítonas terminadas em "us" é feito com o acréscimo de "es". O de "obus" (tipo de armamento), por exemplo, é "obuses". As paroxítonas e as proparoxítonas terminadas em "us" não variam, ou seja, têm singular e plural iguais: "o vírus/os vírus"; "o ônus/os ônus"; "o ônibus/os ônibus".

**02**
**DIA DO SAMBA**

## E o "x" de inexorável?

Bela palavra. "É resistir ao inexorável, o coração fica insuperável e pode em vida imortalizar-se", diz um belo samba de Eduardo Gudin e Paulo César Pinheiro. Como você leu a bendita palavra? Nada de "inecsorável". Esse "x", traiçoeiro, lê-se como o de "exemplo", "exame", "exato", "exercício", "exorcismo". E o que significa "inexorável"? Anote aí: "austero, rígido, implacável, inabalável, que não cede a apelos".

## "Há que lutar pelos direitos dos deficientes físicos"

Seguida de infinitivo, a expressão "haver que" equivale a "ser preciso". "Há que lutar pelos direitos dos deficientes físicos", portanto, equivale a "É preciso lutar pelos direitos dos deficientes físicos". Esse uso, clássico, é encontrado neste exemplo de Vieira, citado por Celso Luft em seu "Dicionário Prático de Regência Verbal": "Não há que fiar em lágrimas". Em "Para Viver um Grande Amor", de Vinicius de Moraes, encontramos este exemplo: "Há que fazer do corpo uma morada...". Esse texto, por sinal, foi musicado por Toquinho.

**03**

**DIA INTERNACIONAL DOS DEFICIENTES FÍSICOS**

## O plural de "folder"

Qual é o plural de "fôlder"? Será "fôlderes" ou "folders"? Essa palavra aparece no "Aurélio", no "Michaelis" e no "Vocabulário Ortográfico da Língua Portuguesa", com a grafia inglesa, ou seja, sem acento circunflexo no "o" (*folder*), mas o "Houaiss", lançado em 2001, já a registra com a forma aportuguesada ("fôlder", com acento, por se tratar de paroxítona terminada em "r"). No "Aurélio", que define essa palavra como "impresso promocional constituído de uma única folha com duas ou mais dobras", a indicação de que ela conserva a grafia estrangeira é feita com a anteposição de uma setinha. Em inglês, o plural é *folders*, com a terminação "rs", que contraria o padrão de nossa língua. Mas, como um dicionário da importância do "Houaiss" já aportuguesou esse vocábulo (no que fez muito bem), vamos ficar com a grafia e o plural portugueses: "fôlder" e "fôlderes".

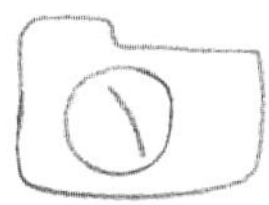

**04**

**DIA MUNDIAL DA PROPAGANDA**

**05**

**DIA DO VOLUNTÁRIO**

## "Os meninos agradecem sua participação como voluntário"

A regência mais comum do verbo "agradecer" é "agradecer algo a alguém" ("Agradeceu-lhe o presente"). É possível a omissão do termo que se refere à pessoa a quem se agradece ("Agradeço sua atenção"). Ocorre também a sintaxe "agradecer-lhe por algo", em que se enfatiza o motivo da ação de agradecer. Têm registro, portanto, construções como "A instituição lhe agradece a participação como voluntário", "A instituição lhe agradece pela participação como voluntário" ou "A instituição agradece sua participação como voluntário".

**06**

**DIA DO MADEIREIRO**

## A certificação da procedência da madeira deveria ser um... para os contrabandistas

"Empecilho" ou "impecilho"? Vamos lá: a forma correta é "empecilho", com "e" no início. E por quê? Porque "empecilho" é o que "empeça", que, por sua vez, é forma do verbo "empeçar", que significa... Significa "impedir", "obstar", "dificultar", "estorvar". É bom lembrar que no Sul do Brasil (mais especificamente no Rio Grande do Sul), o verbo "empeçar" é usado com o sentido que tem em espanhol ("começar", "iniciar", "principiar"). Nem é preciso explicar por que os gaúchos (tão próximos do Uruguai e da Argentina...) usam empeçar com esse sentido.

## O plural de 'pau-brasil'

**07**

**DIA DO PAU-BRASIL (ÁRVORE NACIONAL BRASILEIRA)**

Como se faz o plural de "pau-brasil"? "Paus-brasil" ou "paus-brasis"? As duas formas são corretas, o que se pode explicar pela presença implícita da preposição "de" ("pau-do-brasil"), o que nos levaria ao plural "paus-brasil" ("paus-do-brasil"), e pela classificação de "brasil" como adjetivo (cujo significado é "da cor da brasa"), o que nos levaria ao plural "paus-brasis".

## A lei está em vigor

**08**

**DIA INTERNACIONAL DA JUSTIÇA**

Você certamente já ouviu alguém dizer que determinada lei não está em vigor, ou que tal lei vigorou durante alguns anos. E é claro que já ouviu que tal coisa era comum durante a vigência de certa lei. Muito bem. Quando uma lei está em vigência, ela, a lei, vige, do verbo "viger". É bom deixar claro: o verbo é "viger" (e não "vigir", como muita gente anda dizendo e escrevendo).

**09**
**DIA NACIONAL DO FONOAUDIÓLOGO**

## "Curinga" ou "coringa"?

Em muitas das nossas palavras, o "o" é lido como "u". Isso nos faz ter um certo receio de escrever alguns vocábulos com a bendita letra "u". É o caso de "bueiro", que se escreve com "u" mesmo, mas não é o caso de "poleiro", que se escreve com "o", já que deriva de "pôlo" ("falcão ou gavião com menos de um ano"). Nos baralhos, há uma carta que pode substituir qualquer outra: o curinga, com "u". Jogador de futebol que joga em várias posições também é curinga, com "u". "Coringa" é outra coisa. É um tipo de vela que se coloca em algumas embarcações.

**10**
**DIA DA DECLARAÇÃO UNIVERSAL DOS DIREITOS HUMANOS**

## "Um gesto atentatório dos direitos humanos"

O adjetivo "atentatório" é da família de "atentar", verbo que, entre outros significados, possui o de "perpetrar atentado". Em "atentatório" está presente o sufixo "-(t)ório", acrescentado à forma verbal "atentar". Vale lembrar que o adjetivo "atentatório" pode reger também as preposições "a" e "contra", ou seja, pode-se dizer "Um gesto atentatório aos direitos humanos", "Um gesto atentatório dos direitos humanos" ou "Um gesto atentatório contra os direitos humanos". A terminação "-(t)ório" aparece, com o mesmo valor, em várias palavras, como "probatório" e "comprobatório".

## Que faz o agrimensor?

Basta decompor a palavra: o agrimensor mede terras, campos, territórios, áreas em geral. Ao lato da raiz latina "agri" (que significa "campo", território"), temos outra, que faz parte da família de "medir", "mensurar", "mensurável", "comensurável". Pois bem: qual será o adjetivo que significa "que não se pode medir"? Na verdade, são dois. Anote aí: "imensurável" e "incomensurável".

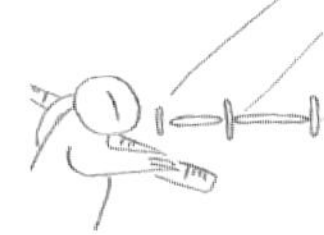

**11**

**DIA DO AGRIMENSOR**

## Todos os países da América Latina

Quando se refere a substantivo, o "todos" sempre exige o artigo: "Conheço todos os jogadores", "Visitei todas as bibliotecas", "O Brasil deveria criar um bloco com todos os países latino-americanos". É preciso tomar cuidado com os numerais. Se o pronome "todos" se referir a numeral que não é seguido de substantivo, não se usa o artigo: "Todos cinco foram detidos", "Todas três estavam contaminadas". Se houver substantivo, o artigo será necessário: "Perdi todos os cinco discos", "Ganhei todos os dez livros da coleção".

**12**

**DIA DA AMÉRICA LATINA**

**13**
**DIA DO ÓTICO**

## "Fibra ótica" ou "fibra óptica"?

Um engenheiro da Embratel pediu-me que comentasse a questão. A expressão apareceu em texto publicitário da Telerj. Os dicionários dizem que "óptico" se refere ao olho, à visão. Mas dizem que existe a variante "ótico". Quando se procura "ótico", descobre-se que esse adjetivo tem duplo valor: pode ser variante de "óptico", ou seja, pode referir-se à visão, ao olho, mas também pode ser relativo ao ouvido. Moral da história: "óptico" só se refere ao olho; "ótico" pode referir-se ao olho ou ao ouvido. Portanto a fibra pode ser óptica ou ótica. Mas é claro que quem quer evitar confusão prefere "fibra óptica".

**14**
**DIA NACIONAL DA ÓPERA**

## "Esta ópera é uma obra-prima!"

Pode não parecer, mas na frase que você acaba de ler há duas palavras que, ao pé da letra, significam a mesma coisa. Sabe quais são essas palavras? São "ópera" e "obra", que vêm do latim (*opera*). Entre nós, o termo "ópera" é usado especificamente em música. Segundo o "Houaiss", "ópera" é "obra dramática musicada". O vocábulo "obra" é usado para designar o resultado de um trabalho, de uma ação. A família dessa palavra é interminável: "operário", "operar", "operador", "cooperar", "operação", "operacional", "inoperante", "operatório", "operosidade", "manobra" etc.

## O "Vocabulário Ortográfico da Língua Portuguesa" e a Academia Brasileira de Letras

**15**
**FUNDAÇÃO DA ACADEMIA BRASILEIRA DE LETRAS, NO RIO DE JANEIRO, RJ (1896)**

Neste livro, há inúmeras referências ao "Vocabulário Ortográfico da Língua Portuguesa". Que vem a ser essa obra? Quem a produz? Vamos lá: não se deve confundir o "Vocabulário Ortográfico da Língua Portuguesa" com um dicionário. O "Vocabulário Ortográfico da Língua Portuguesa" não dá a origem ou o significado das palavras, o que é atribuição dos dicionários. Basicamente, o "Vocabulário Ortográfico da Língua Portuguesa" lista as palavras que têm uso na língua e informa alguns de seus aspectos morfológicos (classe de palavras a que pertence o vocábulo, gênero, número etc.). O "Vocabulário Ortográfico da Língua Portuguesa" está sob a responsabilidade da Academia Brasileira de Letras.

## "O que é reservista?"

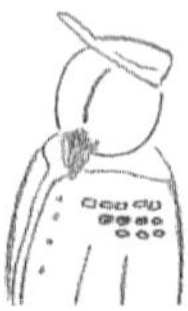

**16**
**DIA DO RESERVISTA**

Não é difícil entender por que o reservista tem esse nome. A razão é simples: ele pertence à reserva (das forças militares do país). O que talvez seja difícil é relacionar "reservar" com "observar", "conservar" e "preservar". Pois pode relacionar, porque tudo isso é vinho da mesma pipa. A raiz dessa família ("-serv-") é latina. Vão para a reserva o cidadão que serviu e o que foi dispensado de servir. Por falar em "servir", qual é a regência desse verbo? O que se diz: "servir ao Exército" ou "servir no Exército"? Anote aí: "Ele queria servir na Aeronáutica, mas acabou servindo na Marinha".

**17**

**NASCIMENTO DO ESCRITOR ÉRICO VERÍSSIMO (1905)**

## "Olhai os Lírios do Campo"

O escritor gaúcho Érico Veríssimo publicou "Olhai os Lírios do Campo" em 1938. Que significa a forma verbal "olhai", presente no título da obra? A que modo e a que pessoa gramatical pertence "olhai"? Vamos lá: trata-se da segunda pessoa do plural ("vós") do imperativo afirmativo de "olhar". Quem não conhece a frase "Livrai-nos do mal", que surge quase no fim do "Padre-Nosso"? Pois "livrai" também é da segunda pessoa do plural do imperativo afirmativo. E de onde vêm essas formas verbais? Vêm sempre da mesma fonte: a segunda pessoa do plural do presente do indicativo, sem o "s" final. De "olhais" ("eu olho, tu olhas, ele olha", nós olhamos, vós olhais..."), chega-se a "olhai" (com a eliminação do "s" final). "Olhai os lírios do campo", portanto, é uma frase imperativa. Quem a profere dá a seus interlocutores o tratamento de segunda pessoa do plural ("vós") e pede a eles que olhem os lírios do campo. Quem diz "Livrai-nos do mal" se dirige ao Criador, que, por ser elevado, absoluto, recebe dos fiéis o ultra-respeitoso tratamento de segunda pessoa do plural. Ao dizerem "Livrai-nos do mal", os fiéis rogam ao Criador que os livre do mal.

## "Última flor do Lácio, inculta e bela..."

Em 1914, o poeta Olavo Bilac publicou o poema "Língua Portuguesa", que começa com estas palavras: "Última flor do Lácio, inculta e bela...". O que é o Lácio? É o nome português do *Lazio* (lê-se "látsio"), região da Itália em que fica Roma, berço do Império Romano e da língua latina. Na verdade, todas as línguas neolatinas (português, italiano, espanhol etc.) são "flores do Lácio", já que são "flores" do latim, da língua que se falava no Lácio.

**18**

**MORTE DO POETA OLAVO BILAC (1918)**

## "Seja bem-vindo ao Paraná"

Numa placa exposta num hotel de uma agradável cidade paranaense, lia-se esta frase: "Seja benvindo ao Paraná". As formas "benvindo" e "bem-vindo" são comuns em placas e cartazes (tanto no Brasil quanto em Portugal). Os dicionários brasileiros e portugueses, no entanto, são unânimes: grafa-se "bem-vindo", com hífen. "Benvindo" é nome próprio. O problema é que uma despretensiosa consulta ao "Vocabulário Ortográfico da Língua Portuguesa", que tem força de lei, é suficiente para pôr tudo a perder: lá se registra o adjetivo com as duas formas (bem-vindo e benvindo). Como o "Vocabulário Ortográfico da Língua Portuguesa" tem valor oficial, as duas formas são legalizadas. Na prática, porém, a tendência é adotar o que está nos dicionários: "bem-vindo".

**19**

**DIA DO PARANÁ**

**20**
**DIA DA BONDADE**

## Por que "bondoso" se escreve com "s"?

As terminações "oso" e "osa" indicam idéia de abundância, posse plena. Um dia cheio de chuva é chuvoso; um lugar cheio de perigo é perigoso; uma pessoa cheia de fogo é fogosa. Quem tem muita bondade no coração é bondoso. "Bondoso" se escreve com "s", o que ocorre com todas as palavras de cuja formação façam parte os sufixos "-oso" e "-osa".

**21**
**INÍCIO DO VERÃO**

## O verbo "suar"

Muita gente diz que "soa" quando o calor é intenso. "Soa" é do verbo "soar", que significa "emitir ou produzir som, ecoar, retumbar". Sinos soam, campainhas soam, notas musicais soam ("Soou uma nota soturna do concerto interrompido", escreveu Jorge de Lima). Quando faz calor, as pessoas "suam", do verbo suar. No presente do indicativo, "eu suo, tu suas, ele/a sua, nós suamos, vós suais, eles suam". No pretérito perfeito do indicativo, "eu suei, tu suaste, ele/a suou, nós suamos, vós suastes, eles suaram".

## O plural de "coletor solar"

**22**
**DIA DA CONSCIÊNCIA ECOLÓGICA**

Em tempos de exaltação da consciência ecológica, muita gente se preocupa em aproveitar os recursos energéticos "gratuitamente" oferecidos pela natureza. Um desses recursos vem do Sol. Certa vez, alguém me perguntou se o plural de "coletor solar" não deveria ser "coletores solar". O argumento dessa pessoa era bem simples: se o Sol é um só... Vamos lá: o fato de o Sol ser um só não significa absolutamente nada no que diz respeito ao plural de "solar". A mãe também é uma só, nem por isso se diz "conselhos materno". O que se leva em conta é pura e simplesmente o fato de "materno" e "solar" serem adjetivos, o que os obriga a concordar com os substantivos a que se referem: "coletores solares", "conselhos maternos".

## "Eram vizinhos, mas nunca se encontravam"

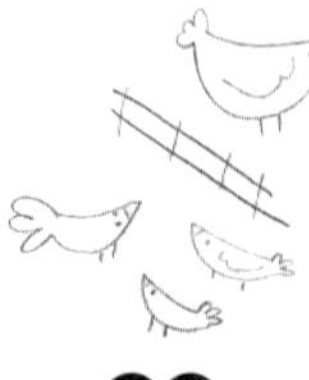

**23**
**DIA DO VIZINHO**

No antológico "Samba da Bênção" (música de Baden Powell e letra de Vinicius de Moraes), há uma frase genial: "A vida é a arte do encontro, embora haja tanto desencontro pela vida". Pois bem, quando se quer uma coisa e ela acontece, ela vem "ao encontro dos nossos interesses", e não "de encontro aos nossos interesses". O que vem "de encontro" é o que contraria os interesses. Em são consciência, ninguém vota em alguém cuja proposta venha "de encontro aos interesses nacionais", por exemplo. Só se deve votar em partidos cuja proposta venha "ao encontro" dos interesses do país.

**24**

**DIA DO ÓRFÃO**

## Til e acento agudo na mesma palavra?

Muita gente estranha o fato de a palavra "órfão" receber acento agudo e til. Isso é perfeitamente possível. O til indica a nasalização do ditongo ("ao") presente em "órfão". O acento agudo em "órfão" se deve ao fato de essa palavra ser paroxítona terminada em "ão". Caso semelhante se vê em "órgão" e "bênção", que, pelo mesmo motivo, recebem acento agudo e circunflexo, respectivamente.

**25**

**NATAL**

## O plural e a origem de "Papai Noel"

De onde vem o nome do "bom velhinho"? Nossa língua é mesmo muito curiosa: misturamos o português e o francês para nomear essa lendária figura, que – dizem – mora lá na Lapônia, região do extremo norte da Escandinávia (Europa). E que mistura é essa? Vamos lá: sabe como se chama o Papai Noel em francês? Anote aí: é *Père Noël*, que, literalmente, significa "Papai Natal". Ficamos com o "Papai" em português, mas trocamos o "Natal" pela versão francesa (*Noël*, de que tiramos o trema). O resultado, híbrido, é "Papai Noel", cujo plural é "Papais Noéis" ("Havia muitos Papais Noéis na entrada da loja"). É bom não confundir "Papai Noel" com "papai-noel", que significa "presente de Natal" ("O que você vai escolher de papai-noel?").

**26**
**DIA DA LEMBRANÇA**

## No jantar, éramos sempre seis

Na linguagem familiar brasileira, é comum o uso da preposição "em" com o verbo "ser", quando se indica o número de pessoas presentes. "Em quantos vocês são?", pergunta o garçom; "Somos em cinco", responde um dos componentes do grupo. A construção "ser em + numeral" provavelmente resulte de tradução literal do italiano (*Siamo in cinque*; *Siamo in sei*). Na variedade padrão do português, essa construção não encontra abrigo: "No jantar, éramos sempre seis".

**27**

**DIA DO DESJEJUM (ISLAMISMO)**

## O adjetivo relativo a Bagdá

Bagdá é a capital do Iraque, um dos berços do islamismo. Qual será o adjetivo relativo a Bagdá, cidade que ocupou as manchetes dos jornais do mundo inteiro em 2003? Vamos lá: o dicionário "Houaiss", o "Aurélio", o "Michaelis" (brasileiros) e o "Dicionário da Língua Portuguesa Contemporânea" (português) registram a forma "bagdali", sem acento agudo no "a" da sílaba "da", o que significa que essa palavra não é paroxítona; se fosse, seria acentuada, como são acentuadas todas as (poucas) paroxítonas terminadas em "i" ("táxi", "biquíni", "beribéri", "dândi", "júri", "cáqui" etc.). O "Dicionário de Dificuldades da Língua Portuguesa", de Domingos Paschoal Cegalla, também registra a forma "bagdali", sem acento. Todas as obras citadas trazem a recomendação explícita da pronúncia: "bagdalí", oxítona. Parece inegável, no entanto, a influência prosódica que o substantivo ("Bagdá") exerce sobre o adjetivo. Nos dias mais "quentes" do noticiário sobre a guerra dos Estados Unidos contra o Iraque, não foram poucos os jornalistas de rádio e TV que leram a palavra como se fosse paroxítona, ou seja, com força no "a" da penúltima sílaba. Não custa confirmar: de acordo com os dicionários, a palavra é oxítona.

## É possível tornar o sonho em realidade?

**28**
**DIA DA ESPERANÇA**

É possível dizer "tornar um sonho em realidade"? É, apesar de não ser comum essa construção na língua do dia-a-dia. Normalmente, para expressar essa idéia, usamos o verbo "transformar", em frases como "transformar seu sonho em realidade", ou o verbo "tornar" (sem a preposição "em"), em frases como "tornar seu sonho realidade" (ou "tornar realidade seu sonho"). Na língua culta, porém, são comuns construções como "Tornei-me homem" e "Tornei-me em homem".

## A biodiversidade, os micróbios e a eubiótica

**29**
**DIA MUNDIAL DA BIODIVERSIDADE**

Que significa "biodiversidade"? Vamos aos dicionários: "conjunto de todos os seres vivos existentes na biosfera". Em "biodiversidade", temos o elemento grego "bio-", que significa "vida" e está presente em tantas palavras que conhecemos e ouvimos: bilogia, biodigestor, bioengenharia, biodegradável etc. E a eubiótica? Basta lembrar que o elemento grego "eu-" (que se encontra em "eufonia", por exemplo) significa "bom". É eufônica uma frase que soa bem. A "eubiótica" diz respeito aos preceitos relacionados à arte de bem viver.

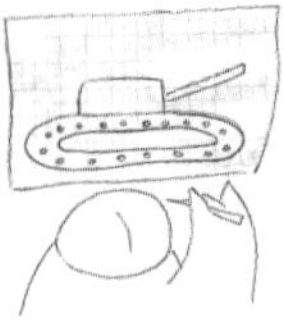

**30**
**DIA DA ENGENHARIA (MILITAR)**

## Os militares, a estratégia e a estratocracia

Que vem a ser "democracia"? Ao pé da letra, "poder do povo". Em "democracia", temos dois elementos gregos (*demo* = "povo"; *cracia* = "poder"). Pois bem, em "estratocracia" temos o elemento grego "estrato", que significa "exército". A estratocracia, portanto, nada mais é do que o poder militar, o governo dos militares. Se ao ler "estratocracia", você pensou em "estratégia", pensou bem. O significado inicial de "estratégia" é "arte de coordenar a ação das forças militares, políticas, econômicas e morais implicadas na condução de um conflito ou na preparação da defesa de uma nação ou comunidade de nações" ("Houaiss"). A palavra "estratégia" vem do grego e, ao pé da letra, significa "comando do exército". Não custa lembrar que, por extensão de sentido, a palavra "estratégia" passou a significar "arte de aplicar os meios disponíveis para conseguir determinados objetivos".

## "Champagne" ou "champanhe"?

Na França, há uma região chamada *Champagne* (que se escreve com "gn", em francês). O som que o grupo "gn" tem em francês (e em italiano, também) corresponde ao do nosso grupo "nh". Nessa região se faz a famosa bebida, que, por motivos óbvios, recebe o nome do lugar em que é feita. Em português, esse espumante ganhou duas terminações, mas sempre com "nh": "champanhe" ou "champanha". E sempre no masculino: "o champanhe" ou "o champanha". Gelado, é claro. Saúde!

**31**
**ANO NOVO**

Esse livro foi composto na fonte
ITC Franklin Gothic e impresso
em dezembro de 2003 pela
Bandeirantes Indústria Gráfica S.A.
sobre papel offset 90g/m².